KB086222

PRAY ORIGIN

프레이 오리진

나이트런 프레이 오리진 | 2

2023년 11월 15일 초판 2쇄 발행

원 작 김성민
편 집 이열치매, 최지혜
마케팅 이수빈

펴낸이 원종우
펴낸곳 블루픽
주소 경기도 과천시 뒷골로 26, 2층
전화 02 6447 9000
팩스 02 6447 9009
메일 edit@bluepic.kr
웹 bluepic.kr

ISBN 979-11-6769-068-5 07810
979-11-6769-066-1 (세트)
정가 14,800원

CONTENTS

Knight Run

part 10

아린 성계 제7콜로니.
아린 외곽의 자원행성 쿠란성의 게이트 인근에 지어져 있다.
게이트의 관리자들과 이용자들의
중계 지점 역할을 하는 임시 거주지이다.
게이트 관리의 일환으로 지어진 콜로니이기에
아린성 행정부가 아닌 AE가 관리하며 기지로도 활용한다.

역시 촌구석 같은 아린에 비하면 번화가라 좋지만 그것도 하루 이틀이지…
Rim 림
호텔 음식도 질렸어.

엄마가 해준 밥 먹고 싶다. 이게 며칠째야?
그만 좋알거려.

흐음. 오늘도 역은 저 상태인가?

오늘도
무리인 모양이네.
누나, 기사 특권으로
군용기라도 탈 수는
없어?
휴가 중이고
비상시도 아닌데
안 되지…
하필이면
본성행 셔틀이
운행 중지라니…
PTP stay

길에서 자는
사람들도
속출하고…
태양풍 때문만은
아닌 것 같은데…

시스템
업데이트에
문제라도
생긴 건가?
RI

ADDA

엄마한테
어울리려나?
엄마도
이제는 좀 꾸미고
다니게 해야지.

그런 거 사 줘도
동네 자원봉사하러
갈 때밖에 더 입고
다니겠어?
옷 살 거면
난 자일 구역으로
갈게.
그런 데라도
꾸미고 나가면야
좋지.
돈이나
좀 줘.

벌써
다 썼어?
아껴 써.
이상한 거 사는 데
돈 낭비 말고.

내가
애야?
…애 맞잖아…
아니 뭐,
그렇지만.

팀장님, 마라가 입자 반응 검출. 23번 유닛 쪽입니다. 정확한 좌표는 특정 불가.
그 근처 E-2390기의 레이더로 탐색해 봐.

레이더에는 기영 전무.
그 외 특이사항은?
20분 전 자원소행성 타이라 근처에서 약 2초 정도 레이더 오작동으로 판단한 반응이 있었습니다.

메인 AI 결론 도출. 신뢰도 20%.
메인 시스템은 오작동 건의 입자 검출 결과가 스텔스 기능을 가진 387번 괴수에서 비롯된 것일 수 있다고 경고합니다.

그럴 리 있나? 그게 이동 경로라고 하면 저긴 본성 쪽이잖아.

그럼 두 번째 가능성으로
시스템 오류 및 태양풍에 의한 관측 장비 이상으로 결론내겠습니다.

그래…

…뭐 별거 아니겠지.

……저기…
포장지
다른 걸로
해 주시면
안 될까요?

애인한테
주는 것도 아닌데
이 하트 무늬는
좀…
어머나.
실수했네요.

여성분께
드린다고
하셔서…
그렇다 해도
센스 구려.

…누나 생일
선물이에요.
게다가
이걸 사는 돈도
누나 돈이고.
그, 그건 좀
아니지 않나요.

최악이네요,
손님.
후훗
괜찮아요.
생일을 잊지 않고
챙겨 준 것만으로도
누나는 감격에 겨워
내 용돈을 올려 줄
사람이니까.

뭐 어때요?
누나는 기부하고
남은 건 다 저축해서
돈은 꽤 많거든요.
그런데도
가족 외의 것에는
돈을 전혀 안 써요.
자신에게
인색해서
취미 생활조차
없이 살아요.

…과연…
좋은 동생을
두셨네요.
누님분은.
이렇게
받아서라도
돌려주지 않으면
평생 도나 닦으며
살걸요.

응?

원래 물주에겐
잘하는 게 도리죠.
…아까 한 말
취소해도 돼요?

무슨 일 있나?
엄마 엄마. 저거 뭐야?

……어라?

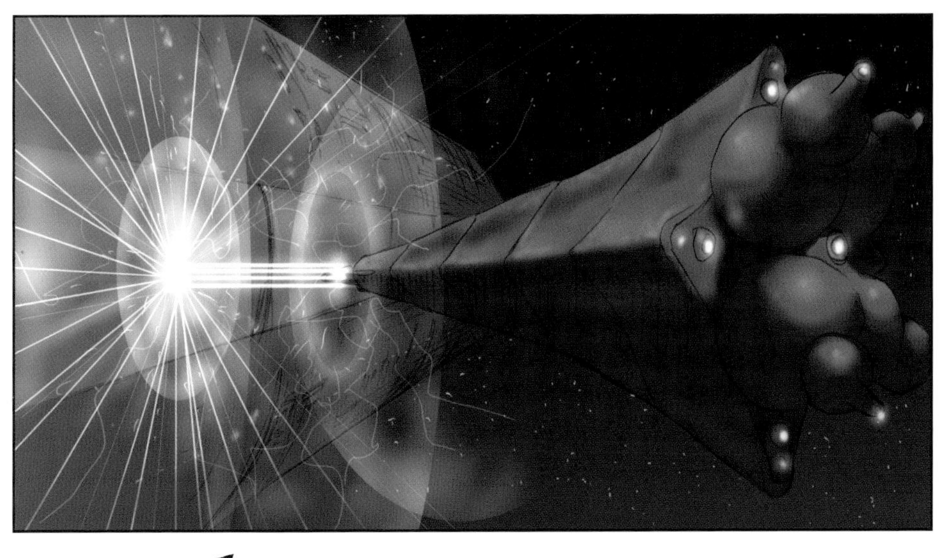

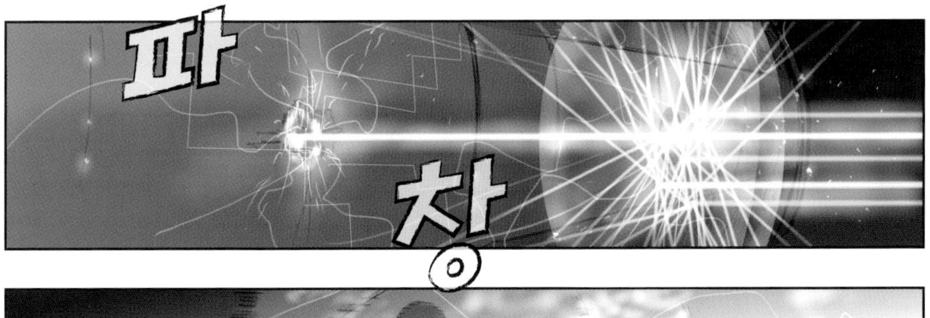
파
창

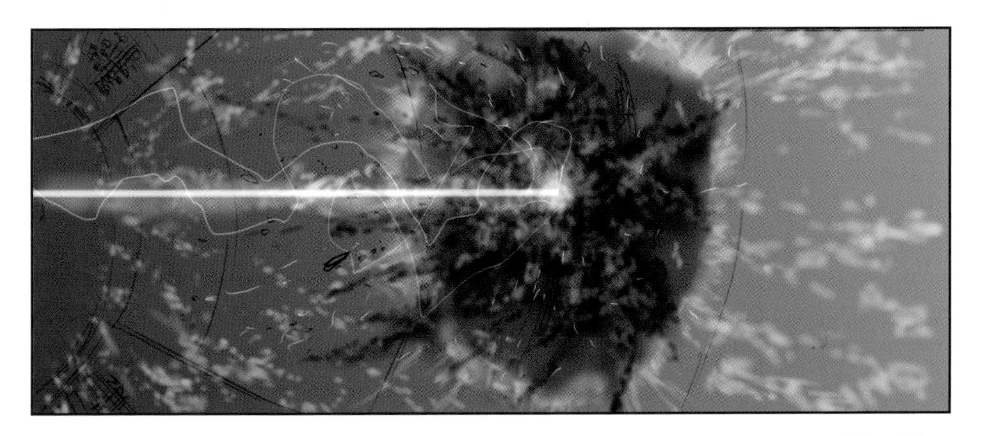

콰
아

촤아아아아아아

치이이이

내 점심.
아직 감자튀김 한 조각밖에 못 먹었는데.
그전에 우리를 넘어지게 한 이 진동의 원인부터 짚어 봐야 하지 않나요?

인형은 좋겠다. 잠 안 자도 되고.
깨어 있어 봤자 일밖에 더 해요? 그리고 다리 더듬지 말아요. 고소할 거예요.
인형 상대면 기껏해야 벌금이지 뭐.
지금 한 말은 차별 발언. 이것도 고소하면 꽤 부담될 텐데요?
요즘 왜 그리 까칠해?

운석이겠지 뭐. 본성 연락 때문에 요즘 철야인데 또 철야 하겠군.

저번 홍보 행사 때 저 무시한 거…
사실 누가 저인지 구분 못 해서 그런 거죠?
솔직히 다 똑같이 생겼는데 어떻게 구분하냐?
미안.

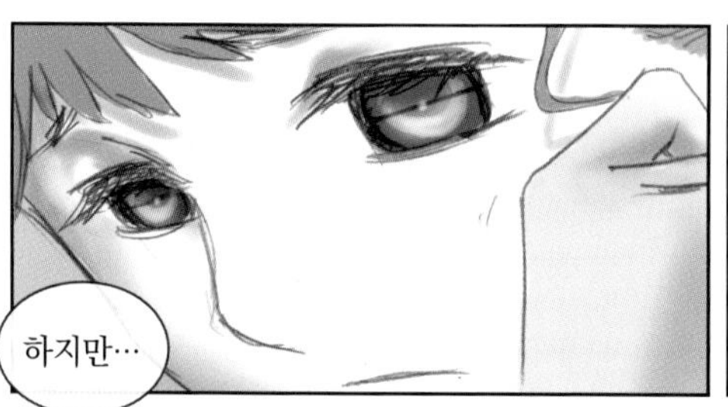

그때는 단순한
일탈이었지만
지금은 달라.
설령 여기서
벗어날 수 없다 해도
난 지금 이대로
만족할 수 있다고.
pppp

저기 봐!!
구멍이야!!
꺄아아아!!
무슨 일이야?
윽, 귀가…
기압이
떨어진다…

뭐지?
…
저쪽은?

뭐? 자일 구역에서?
안 다쳤어?
자일?

알랜!!!

상황 보고해!
387번
괴수입니다.
진짜냐…
387번이면
출력은 약해.
막을 수 있지?
현재
깨진 실드를
복구 중입니다.
디펜시브
소자를 방출해
외벽 방어를 보조하면
당분간 버팁니다.

현장 보고
들어왔습니다.

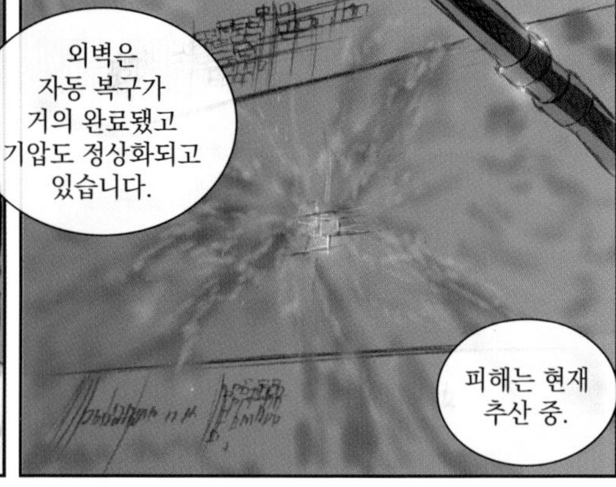
외벽은
자동 복구가
거의 완료됐고
기압도 정상화되고
있습니다.
피해는 현재
추산 중.

당했어.
387번…
마라가 입자를
사용한 스텔스
기능과 저열원
추진기관…
하지만
미리 축적된
입자를 방출하는
초탄 외엔 무장도
장갑도 약한
특수전 타입.
포트
사출 전에
잡기만 하면
문제없어…
그리고
AE의
신 기체도
있다고.
하지만…
워프 반응은 없었고
외우주에서 온 것도
아니야.
설마 정말
본성 쪽에서
왔단 말이야?

자밀기관도
없어. 무인기
AF-1003
전 기 사출.

장비는
C형.
키이이이이

최대 화력으로
간다.
저 정도 강도의 실드는
SB형 미사일이면
뚫을 수 있고 본체도
특수탄 30발 정도면
완전 소멸이 가능해.

적기,
콜로니 실드가
깨진 곳으로
육탄 돌격합니다.
큐이이이이잉
서둘러!
포트를 쏘기 전에
잡아야 해!

전탄 발사!

포트
발사합니다!
퓽

콰
과
과
과
과
과
광

전탄 명중.
실드, 추진기 모두 작동을 멈췄습니다.

적기 침묵.
포트는?!

?!
1기 놓쳤습니다!

뭐?!

복구 중인
외벽으로
침입합니다!!

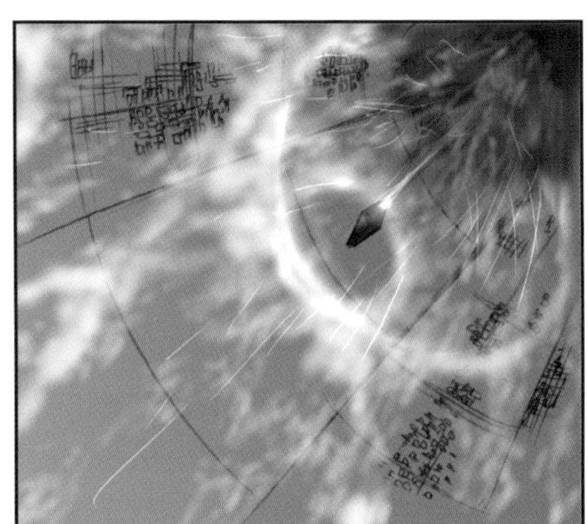

콰
앙

뭐…
뭐야?

저게
떨어진 거야?

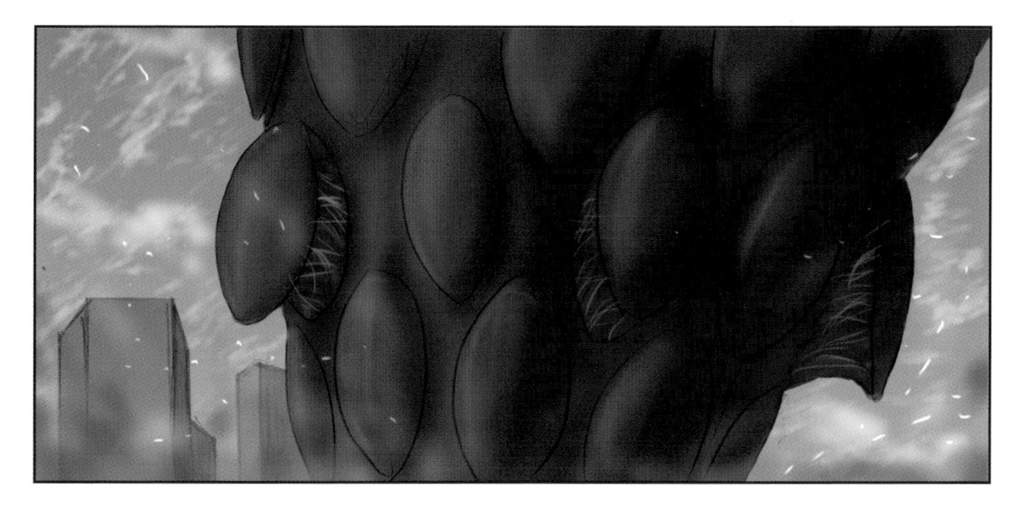

착
쿵
쿵
우…움직인다!
괴…괴수
아냐?
설마…

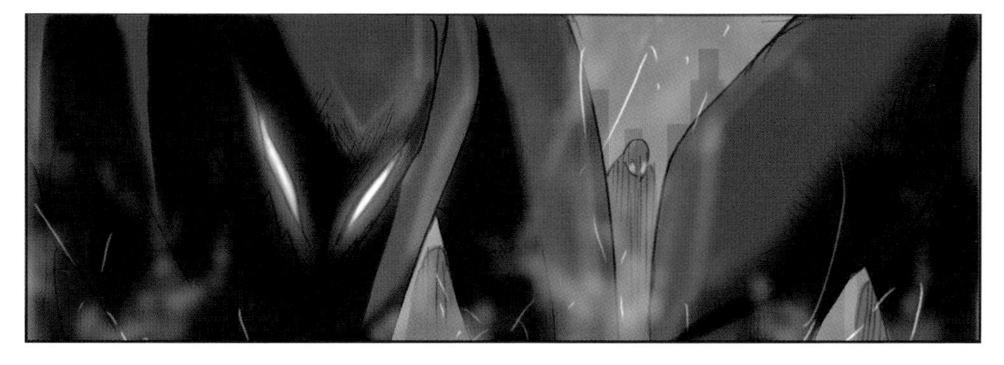

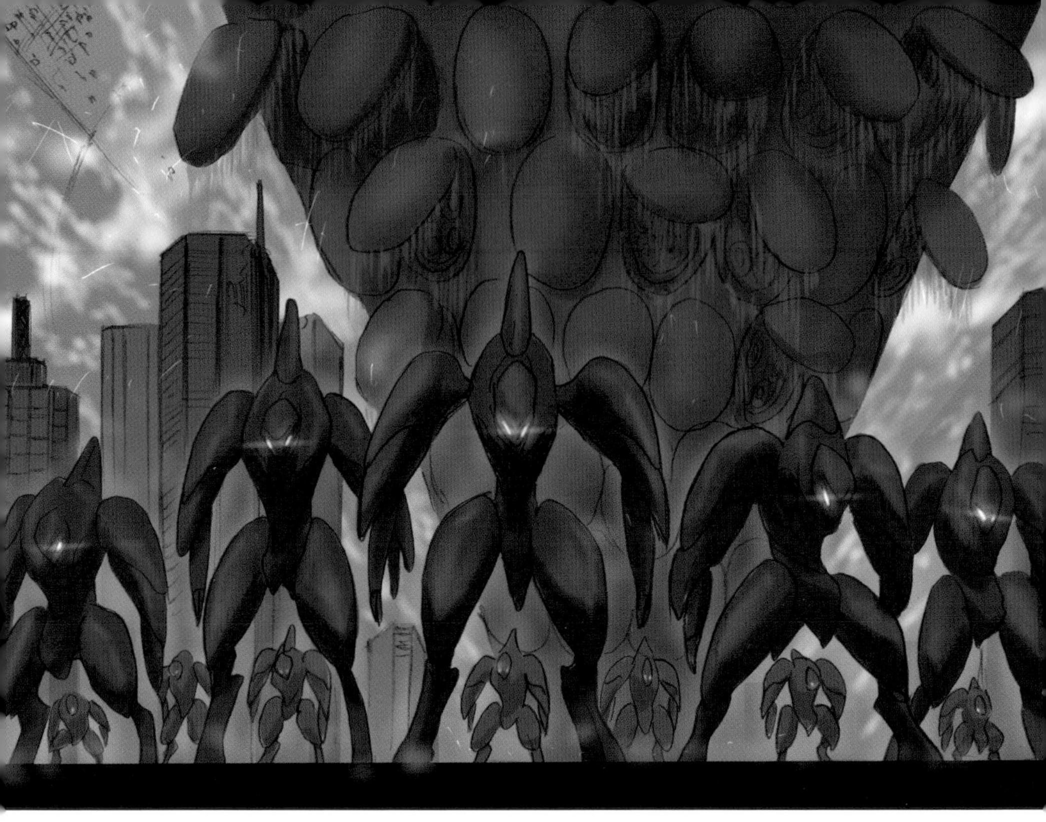

도망쳐!!!
꺄아아!!

파
ㅅ

까아!!!
으아아!!!!!

…으으

뭐야 이게…
귀가 먹먹해… 기압이 떨어진 건가?

part 10. 있을 수 없는 공세 |끝|

part 11

Knight Run

여기는 노암 스트리트!
적 발견! 600번대다!!
센터로 보내면 안 돼! 반드시 여기서 저지해!!
콰
대괴수탄도 없는데 뭘 어쩌라고?
대전차라이플로 대응해. 일반탄이라도 머리를 맞히면 먹혀.

투투퉁
말이야 쉽지!

브라보 팀 다운!!
적은 3개 조로 분산해
센터룸을 향해 이동 중인
것으로 보인다.
현재 건물 사각지대를
이용해 움직이고 있어
정확한 위치 파악 어려움.

모니터링 계속해!
되도록 저공 비행해서
이동 경로를
파악하도록!
시민 대피
상황은?

현재 진행 중.
30% 완료!!
Gate 61
제길 이렇게
갑자기는 무리라고!

체리독 6기
무장 완료.
내보냅니다.

대기반 오퍼레이터
인형도 전투용으로
환장 완료.

보행 전차가
저지하는 동안
인형반은 최대한
시민 대피를
우선하도록!
마벨릭타워 측면
5번 도로에서
적 2개 분대 괴수 발견.
체리독은 3번지
고가도로를 타고
포인트로 향하라.

괴수 발견 즉시 발포.
인근 피해보다
적 저지가 우선이다.
이쪽이 뚫리면
바로 대피소다!

적 발견.
교전한다.
투퉁
퉁

콰광
펑
퍼펑

빨라!
경비용 기체의
사격 관제 정도로는
맞힐 수 없어!!
조준하지 말고
1번기 사격 방향에
맞춰 탄막 형성해!!

쾅
차아아
으아아-

아우
이게 뭐야-
탓

?!

투투퉁

타탓

전투 구역의
소년 1명 구출.
마…
말캉말캉?

이탈합니다.
…크…크시네요.
탓

제길!!
3기밖에 안 남았어!
후퇴한다!!

아!

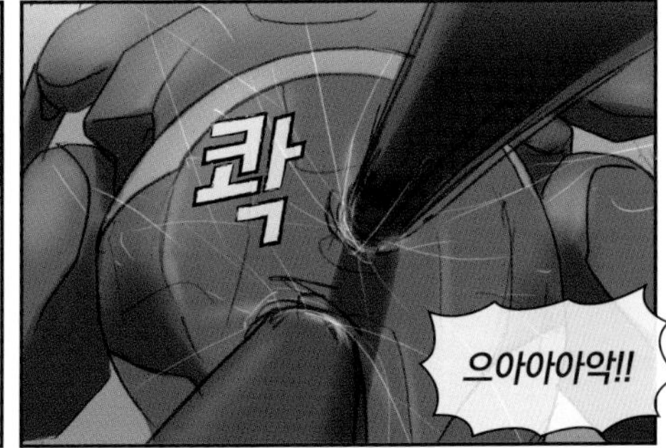
콱
으아아아악!!

체리독, 모두
잡혔습니다.

벌써?!
설마
지휘 유닛이
있는 건가?

뭐 됐어.
시간은 벌었으니
대피만 완료되면 대충
적이 있는 구획은 부분
퍼지시켜 우주로
날려 버린다!
퍼지 후 긴급
복구할 수 있도록
자동 복구 레벨
7로 설정. 보충제
활성화 시켜!!
무식하시네요.
대응 장비도 없는데
우물쭈물하면 끝이야.

QUITO, – Ecuadorian
President Raphael Correa
"benefits and amazing
achievements," if they invest in
the Latin American country.
Correa also said his country
can learn a lot from the economic
growth Korea has achieved over the past decades. ...
근데… 저기…
전투조로 불려간 유나… 아니 N-32번 인형은?

애인 걱정입니까?
…시끄러.

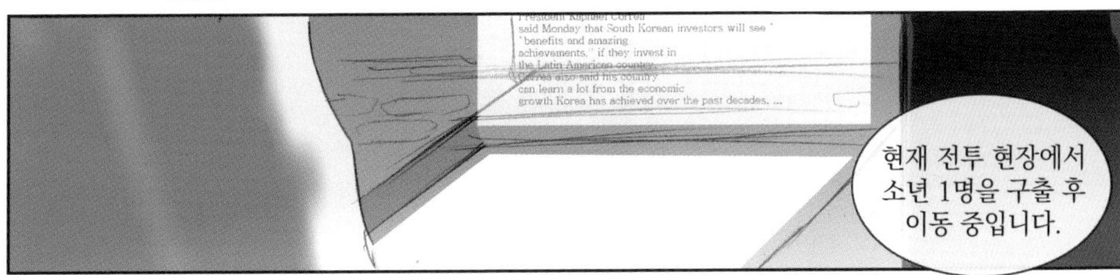
said Monday that South Korean investors will see "
"benefits and amazing
achievements," if they invest in
can learn a lot from the economic
growth Korea has achieved over the past decades. ...
현재 전투 현장에서 소년 1명을 구출 후 이동 중입니다.

무사한 건가… 그럼 됐어.
헤에~
일해.

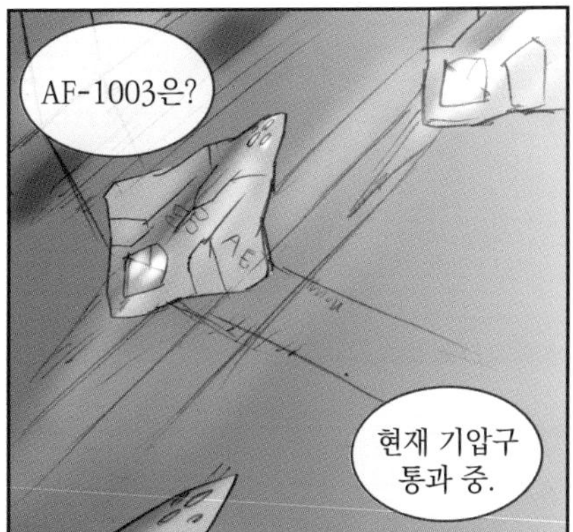
AF-1003은?
현재 기압구 통과 중.

콜로니 내부 전투에 투입은 무리수 아닐까요?
써먹을 수 있는 건 써먹어야지.

인게이지.
실드가 있는 외벽에 비해 콜로니 내부는 공격에 취약하다. 무장은 50밀리 건포트로 한정.
두두두두두두
두두두두두두

콰
앙

지금 떨어진 거
AF-1003이지?!
뭐야?!

뭐에
당한 거야?
왠지
위험할 것
같은데요.
일단 전방에
사고지뢰(思考地雷)
설치 완료.
이쪽은
안 됩니다!

돼.
아니 안 되죠!
대피부터 하세요!
괴수가 온다고요!

비켜요.
기사 질 맥켈런 입니다.

기사?
인식기 대 보세요.
자일 구역으로 갑니다.
총 하나 빌릴게요.

자일 구역에서 소년을 구출한 인형이 4번 보관소로 갔다고 들었습니다.
전뇌로 들을 수 있으니 정보망 22번 채널로 관련 정보 공유 부탁드려요.

기사님.

그걸로는
안 먹혀요.
대괴수탄
15발입니다.

Thank you,
soldier.

기다려 알랜.
구해 줄게.

1급 보안코드
해제.
Memento Mori
긴급상황 규칙에 따라
본인 증명 절차 없이
질 맥켈런 양 대리로서
보안국에 양도합니다.

찾았다.
12번 검
튜즈데이.

앗싸~
득템.

인형 누나
보안코드 덕에
살았어요. 이제 누나만
만나면 돼요.
고마워요!
이쪽이야말로
AB소드를 확보할 수
있었으니까요.
기사님 확보를
서두르죠.

근데 인형 누나
되게 인간 같다.
6.5세대 인형이면
감정기관이 완전히
정립되지는 않았다고
들었는데 가동 시간
오래됐나 봐요?
예. 10년
넘었어요.
자아발현도도
높고 이제 유사
감정기관에 의지하지
않아도 감정 발현이
가능해요.

우리 누나는
인간인데도
자아를 못 찾고
동생에게 폭력을
일삼던데.
누나도
자아발현 좀
시켜 줘.
그렇게 말해도
누나… 좋아하시는
거죠?

…기사니까
일단 멋있잖아요.
돈도 많이 벌고.
그냥 좋다고
하기는 쑥스러운
거죠?
그런 면은
그 사람하고
닮았네요.
그 사람?
콜로니 관리자
말린이라고 있어요.
그 사람도 늘
돌려 말하고
속마음을 드러내지
않아서 얄미워요.
하지만 그런 점도…
파닥파닥
귀가
움직인다?
…헤헤
그 사람
좋아하나
봐요?
…아

아니 그…
그렇게 말하자면…
좋아하는 단계보다
훨씬 더 가까운
사이라고 할까…
엥?
자…잠깐.
그…그러면
그런 것도
이런 것도
저런 것도…

애들은
알면 안 돼요.
파삭
에이,
그러지 말고
좀…

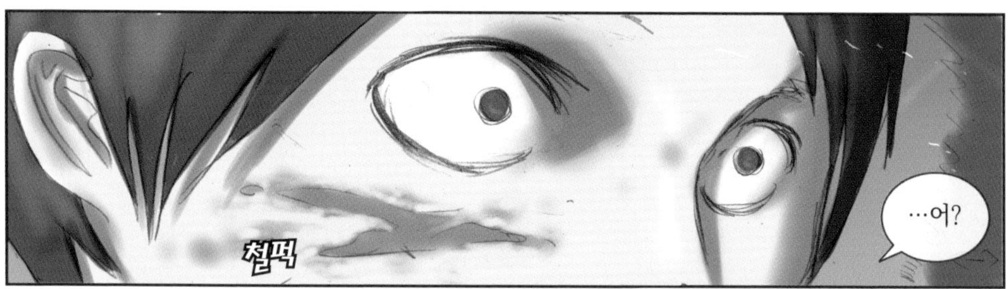
철퍽
…어?

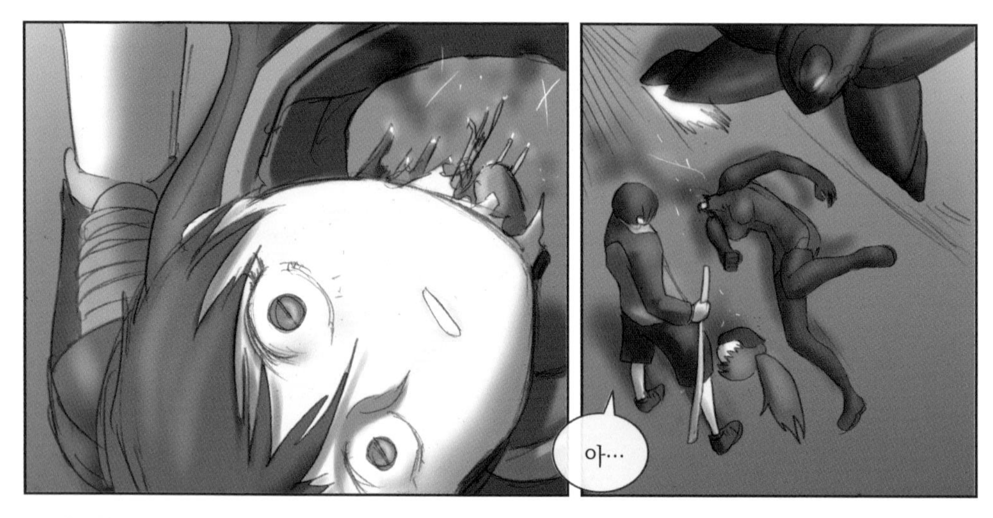
아…

으… 아니
나도 딱히 인형
인권주의자는
아닌데 말이야…

인형의 자율적 직무라고
입에 발린 소리 해도
사실 법에 묶여서 10년이나
더 여기서 강제 근무하는 건
뭔가 불합리해 보여서 말이지…
대변자 역할이라고 할까…

너 때문에
계속 여기 남겠다고
한 건 아니라니까…

아… 나.
어서--
--가세요--
부탁--
도망--
우…

미안!

하아 하아
미안!
미안!
하아 하아
미안!
…미안해요!!
미안!

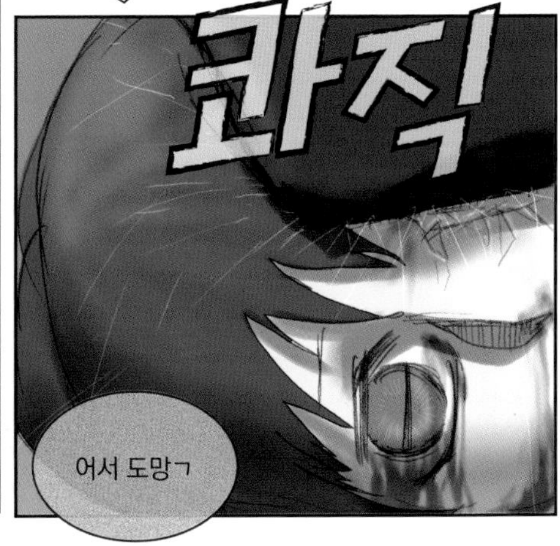
콰직
어서 도망ㄱ

으아아아아아!!

투투투투투투투투투투투투
알랜!

퍼퍼퍼퍼퍼퍼퍽

촤아

누나야!!!
겁나 반가워.

?!

Lightning Beat
Lightning Beat

Maximum Impact

누나야!!
알랜!!
콰
직
part 11. 기사 질 맥켈런 |끝|

part 12

헐쿠!!!

우왁!!!
챠아

큭!!
쿵

상위괴수…
초기 침입 데이터에는
없었는데… 우주종이
전투 중일 때 양동으로
들어온 건가?

?!

콰
직

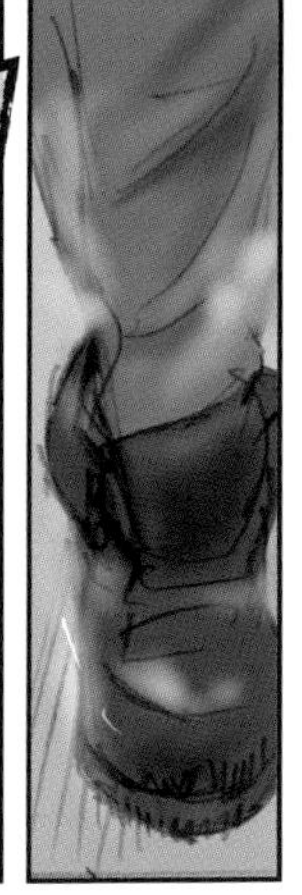

우습게 보지 마!!
77형 쯤이야!

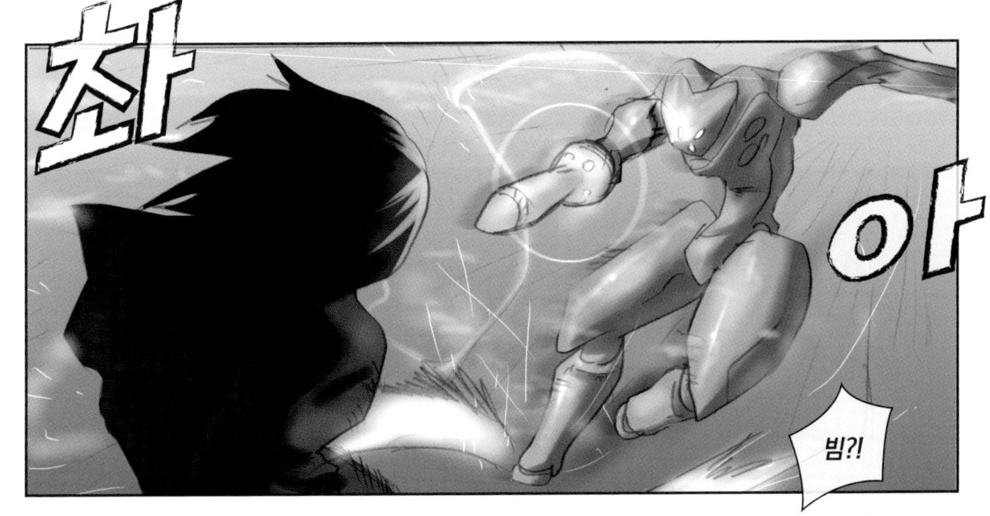
차
아
빔?!

!!?

일부러
이 방향으로…
콰
아

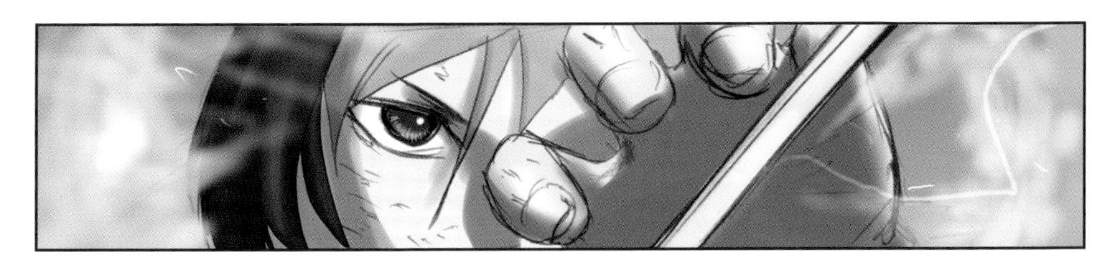

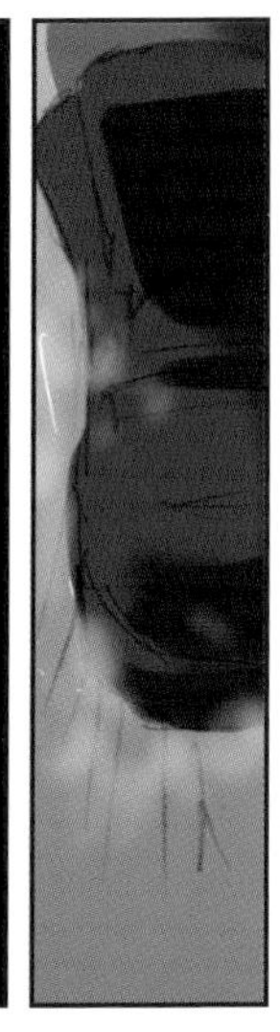

미안하지만
몸의 80%는
전투로 날아간 후
다 특제로
갈아치워서
말이지!!

키
릭

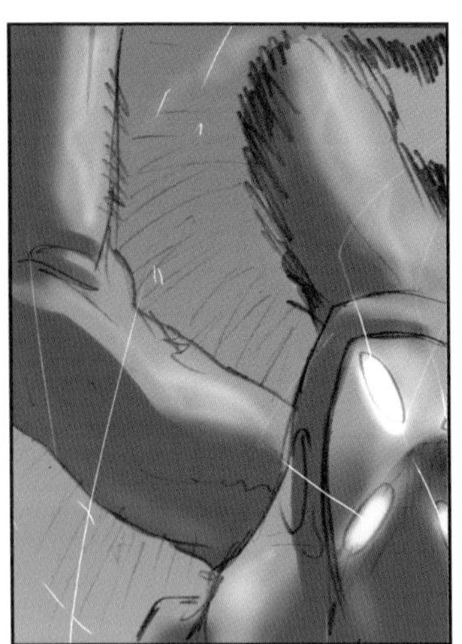

콰
큭!!
직

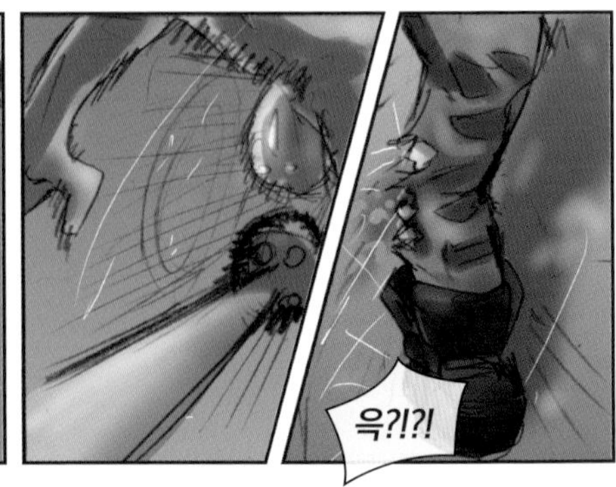
윽?!?!

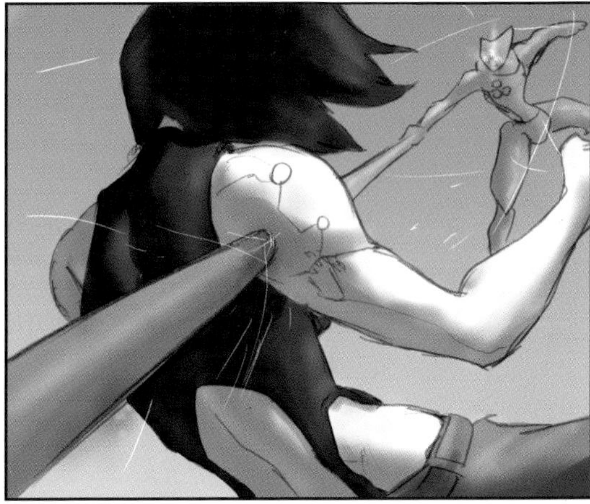

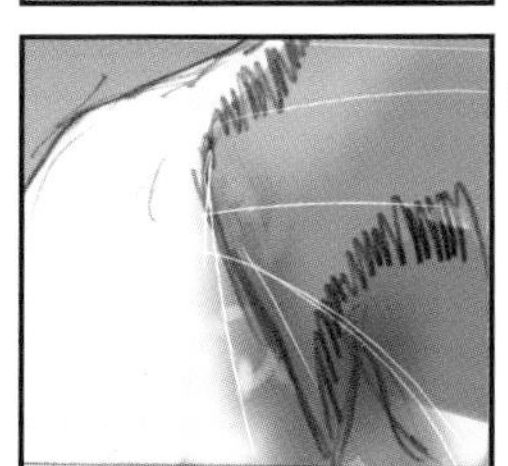

촤악

누나!!!!!!

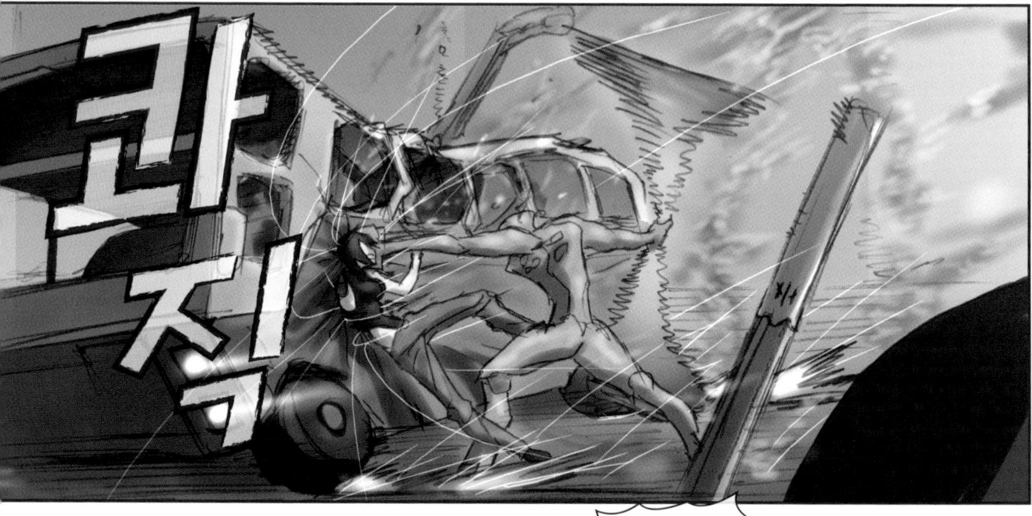
콰직!

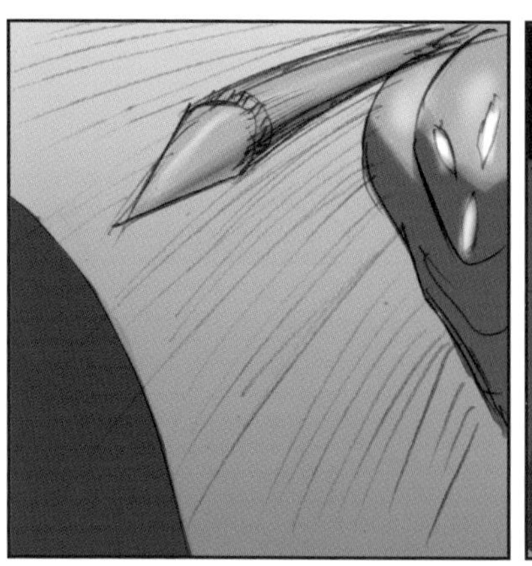

으직
우아아아!!

누나를 놔 줘!!!

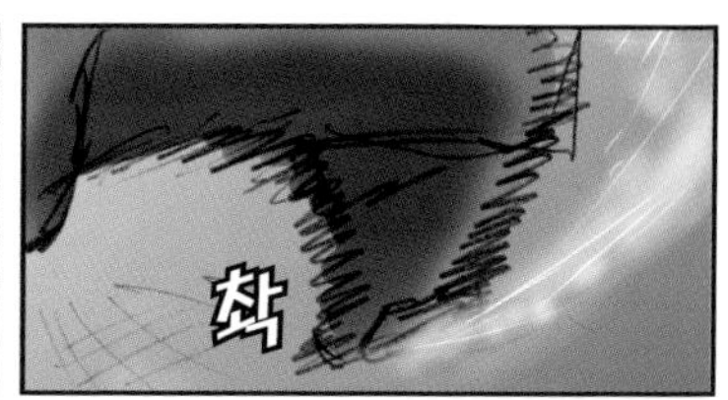
착

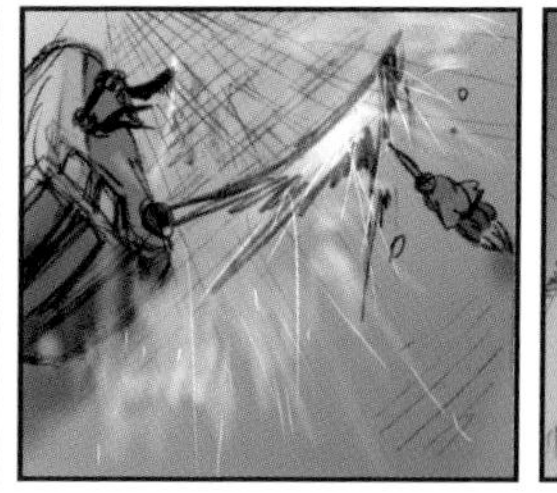

누…
촤
악

어?

팔…이
없……

알렌!!!!!!
으아아아아아아!!!!!!
아아아아아아아아아아!!!!!

이!!!

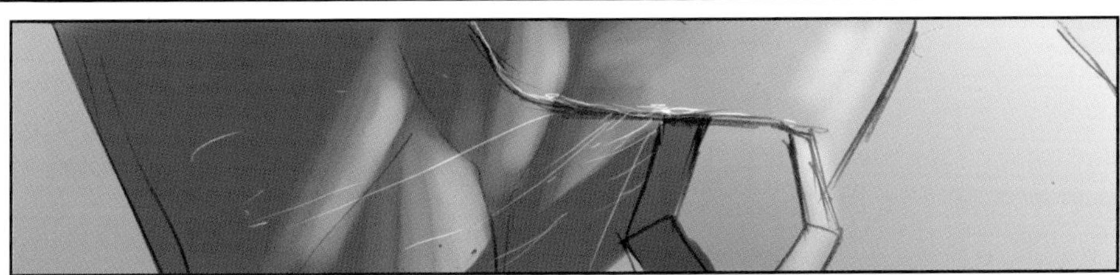

비켜!!!
알랜!!!!!!!
알랜!!
알랜!!
알랜!!

누…나…
누… 아파… 누…
누나… 나…
손이…
괜찮을 거야,
조금만 기다려!!

…선물…
누나가 찾던…
책… 찾았…어…
의료
나노머신
주입.
됐어,
말하지 마!!!

조금만 기다려!!!
전뇌로 신호
보냈으니까
곧 구급차가
올 거야!!
누나가
어떻게든
해 볼게!!
조금만
버텨!!!
누나…
생일…
…앞이…
안 보…여
…추워…
나…

…미안…
전에 누나…
돈…
생체기능
저하
…몰래
가져간 거…
나… 거짓…
어릴 때
누나… 손잡고…
…나… 사실
좋…

…아……
엄마가 해 준…
…밥…
먹고 싶다.

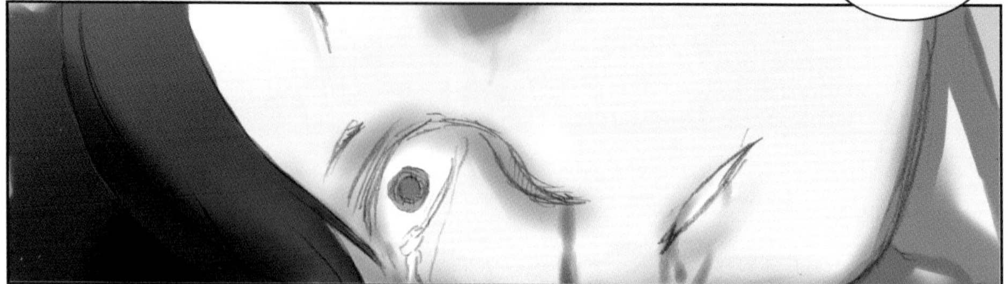

알…랜?

알랜!
아무 말이나
해 봐!
알랜?
알랜!!!

적 괴수는
A-19 블록 외에는
발견되지 않습니다.

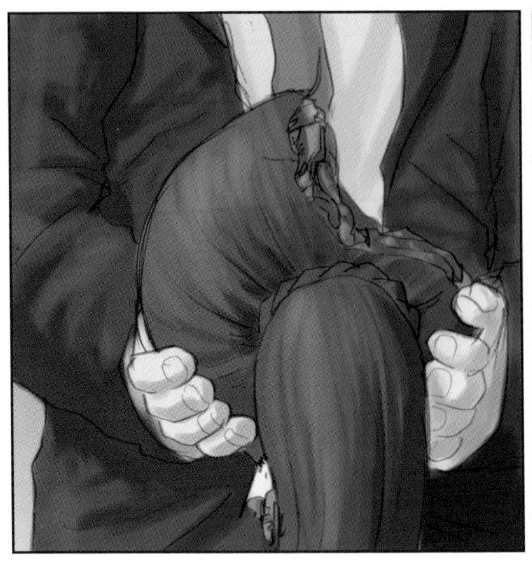

예. 이쪽 구역에 있던
괴수는 인형이 보고했던
기사님이 처리하신
모양입니다.
상위괴수의
침묵도 기사님
덕인가?
근처에
계실 거야. 좀 더
수색해 봐.

미스터 말린,
관련 방침을…
아… 미안…
눈에… 뭐가
들어가서…
잠시만…

급한 거니까…
제가 할 테니
잠깐만 혼자 있게
해 줘요.

77형 괴수
확인.
아뇨. 다행히 예~쁘게 토막 나 있네요. 아니면 보고하기 전에 우리가 토막 났겠죠.
예. 기사님이 처리하신 모양입니다.
기사님도…
예. 옆에 계십니다.
보고에 있던 동생분은… …그게…

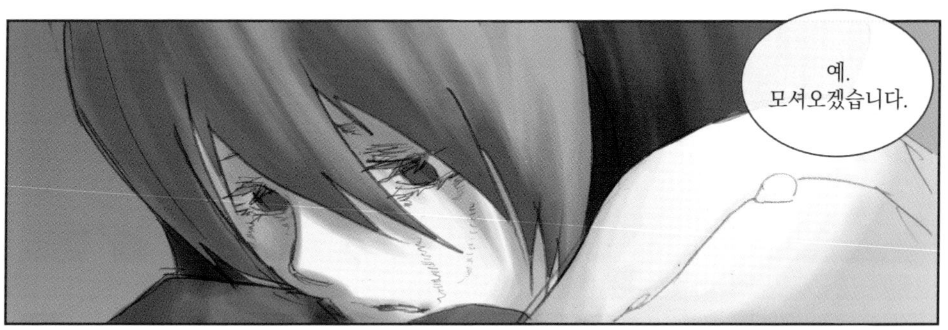
예. 모셔오겠습니다.

저기… 기사님…
…잠깐 내버려 둬.
이런 일을 겪으면 누구든 시간이 필요해. 말린도 기사도 사람이니까…

…소중한 사람을
잃은 아픔은……
…우리와
똑같지.

하지만
저 기사에게
주어진 상황은
참 잔혹하군.
이 잠깐의
시간이 지나면
곧 다시 싸워야
하니까.

예? 다시?

게이트와의
통신도 두절됐어.

그쪽도 괴수겠지.
아마 이건 시작에
불과할 거야.

예?

적은 아린에서 왔어.

그것이 의미하는 건…

이번 게이트만
넘으면 스윗 마이 홈.
이제 꼼짝없이 마누라한테
붙잡혀서 들볶이겠지.
그러게 평소에
잘했어야죠.
그건 그렇고
게이트의 통로를
지탱하는 변동 블랙홀에서
노이즈가 보였던 게…
아무래도 불안해요.

그렇게 걱정하면
머리카락 빠진다.
어차피 지금 할 수
있는 게 없잖아.
자빠져 자던가
불안하면 그냥
물 떠놓고 기도나
올리던가.
네네~ 제독님은
참 인생 편하게 사셔서
절대 대머리 될 일
없겠네요.

조타가
……

중력장에
영향받고
있잖아?

함정
실드에도…?!

실, 준.
통로를 지탱해 주는
2차 변동 중력 필드의
수치를 분석해 줘!
통로가
좁아지는 듯한
기분이 드는데
통로 크기도!

수치
변화…
좁아지고
있습니다.
통로의
수축은
오차 범위
이내…
아니…

중력장의 영향도
함정의 조타에 영향을
미칠 수 있는 수치에
도달했습니다.
오차 범위
커집니다.

…필드가…
무너지고
있습니다.

뭐?

원인이 뭐야? 아니, 그건 됐고
게이트에서 나갈 때까지
버틸 수 있는지만 계산해 봐!
게이트 오프까지
약 3분. 필드의
구성은…

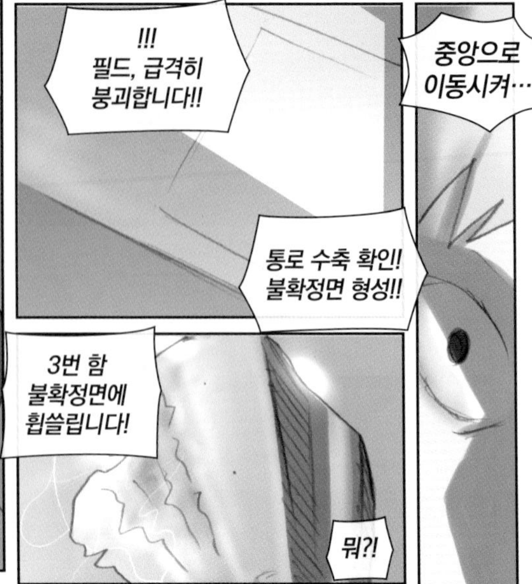
!!!
필드, 급격히
붕괴합니다!!
중앙으로
이동시켜…
통로 수축 확인!
불확정면 형성!!
3번 함
불확정면에
휩쓸립니다!
뭐?!

하고 있습니다.
하지만…
우측 엔진 손상!!!

조타가
먹히지 않아…
실드를
최대로 올려!!
도대체
어떻게
된 거지?!

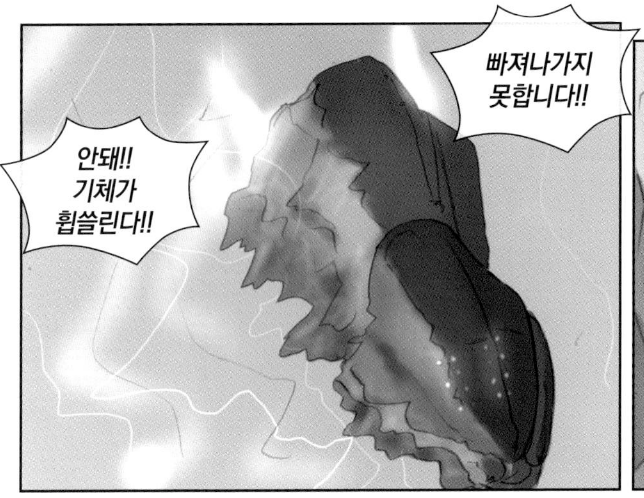
빠져나가지 못합니다!!
안돼!! 기체가 휩쓸린다!!

제독!!!!!!

3번함 우드락 다운!!
콰아
통로에 휘말립니다!!

뭐야 이 수축속도는!!!
부함장!!!
라져!!!

실드 타입 델타 형성 !!!
노심 출력 최대로 몽땅 실드로 보내고 엔진추력은 T드라이브로 돌린다!

함대 진형은
84번! 가운데로
최대한 모여!! 본함
방어면적은 최소로!

후방까지
최대로 늘려!!
나머지 함들은
델타형 실드에
파장을 일치시켜서
융합, 실드 형성에
보태!!

실, 준!
게이트 통과까지
버틸 수 있는지
계산해 봐!!
중력 필드
손실률과
수축속도가
변동이 심해서
정확히 파악할 수
없습니다.
운이 좋은
경우라 해도
아슬아슬합니다.

속도는 노튼함에
맞출 수밖에 없어…
남은 건 기도하는
것뿐인가?
함장님 대원들이
동요하지 않도록
한마디라도…

전원 잘 들어.
우리가 죽으면
다 부함장 탓이야.
내…내 책임
아니다.
왜 나
때문인데?
이 짜샤!!
아니
제독님!!!
그리고
더 불안하게
만들면
어떡합니까?!

제독 말고
제 조종을
믿어요.
오오 우리
조타수는 과연 믿…
담배는 왜 피워?!
죽기 전에
담배 한 대는
피워야죠.
죽기 전이라니!!
믿으라며?!

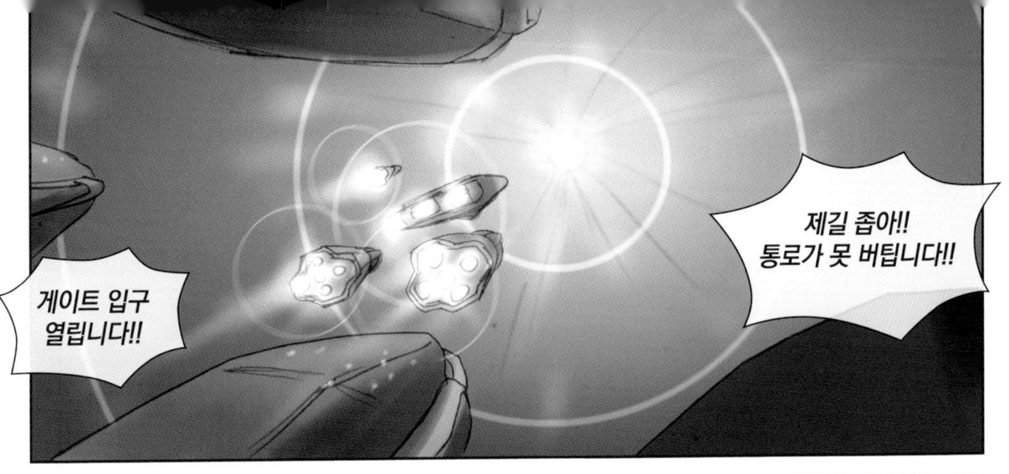
제길 좁아!!
통로가 못 버팁니다!!
게이트 입구
열립니다!!

거의 다
왔습니다!!
잘하면!!!

죽으면 다 부함장 탓, 부함장 탓, 부함장 탓!!
입 닥쳐요
노친네!!
엔진이 터져도
좋으니까 죽어라
GO!! GO!! GO!!

죽으면 부함장 탓
부함장 탓 부함장 탓!!
너도냐!!!

8번함
샤밋 다운!!
부함장 탓 부함장 탓 부함장 탓!!
부함장 탓 부함장 탓 부함장 탓!!
부함장 탓 부함장 탓 부함장 탓!!
부함장 탓 부함장 탓!!
부함장 탓 부함장 탓!!
부함장 탓 부함장 탓!!
그만
안 해?!

너희 연습했지!!
날 탓하는 게 무슨
본고장 4비트
랩이야!!
빠져나옵니다!!

게이트 오프!!!!
살았다!! 이게 다
내 덕이다!
죽으면 내 탓이고
살면 당신 덕이냐!

뭐야
게이트가?!
이상은 이것
때문인가?

!!!!
함장!

전방에
열원 다수!!

공격입니다!!!

피해!!
실드 타입
에코로
즉시 전환!!

노심 출력은
최대로 유지해!!

크윽!!!!

게이트가?

게이트 피탄!!
공격이 우리에게 집중되지 않아!!
우리가 아니라 게이트를 노린 건가?!
게이트의 실드는 왜 작동 안 해? 괴수에게 침입당했나?
공격 범위에서 빠져나간다!!

빠져나옵니다!
노심 출력을 미리 올려놓은 덕에 실드가 버틸 수 있었습니다.

공격 피해 전무!

하지만…

게이트가…
당했어.

…게이트를 잃다니…
그보다 앞이나 보세요.

공격한 건…
…괴수입니다.

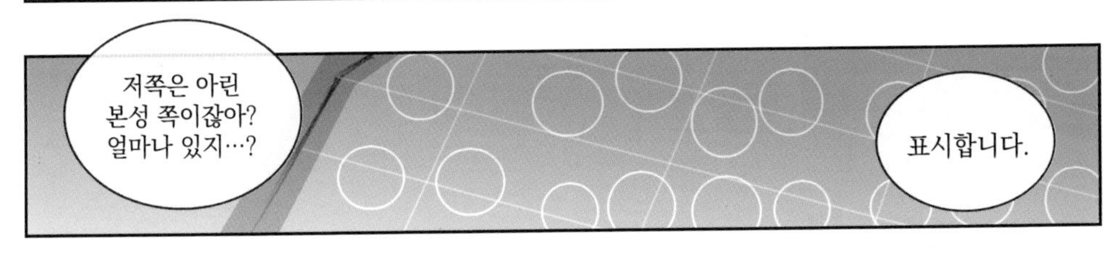
저쪽은 아린 본성 쪽이잖아? 얼마나 있지…?
표시합니다.

어라…

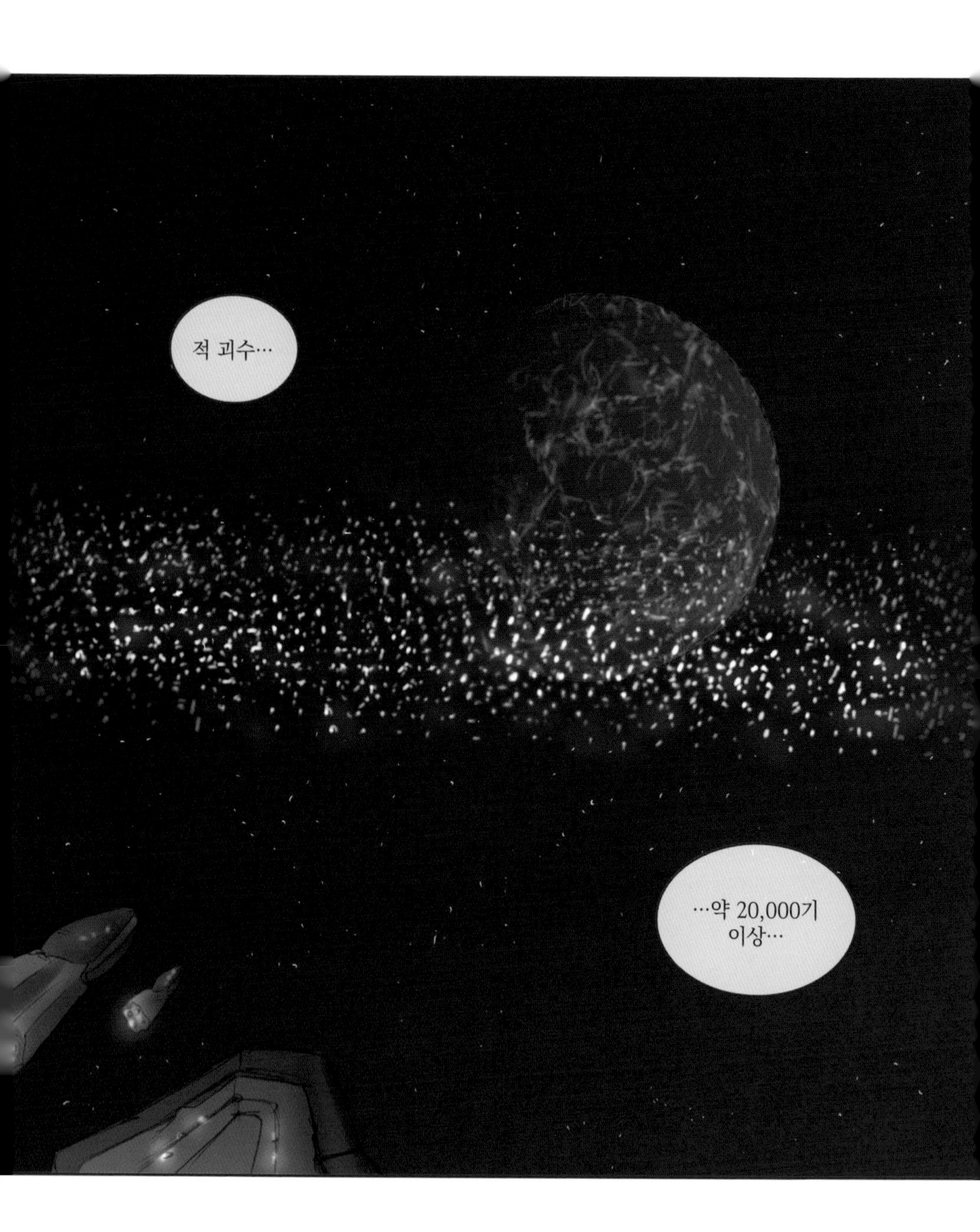

part 12. 적 |끝|

part 13

Knight Run

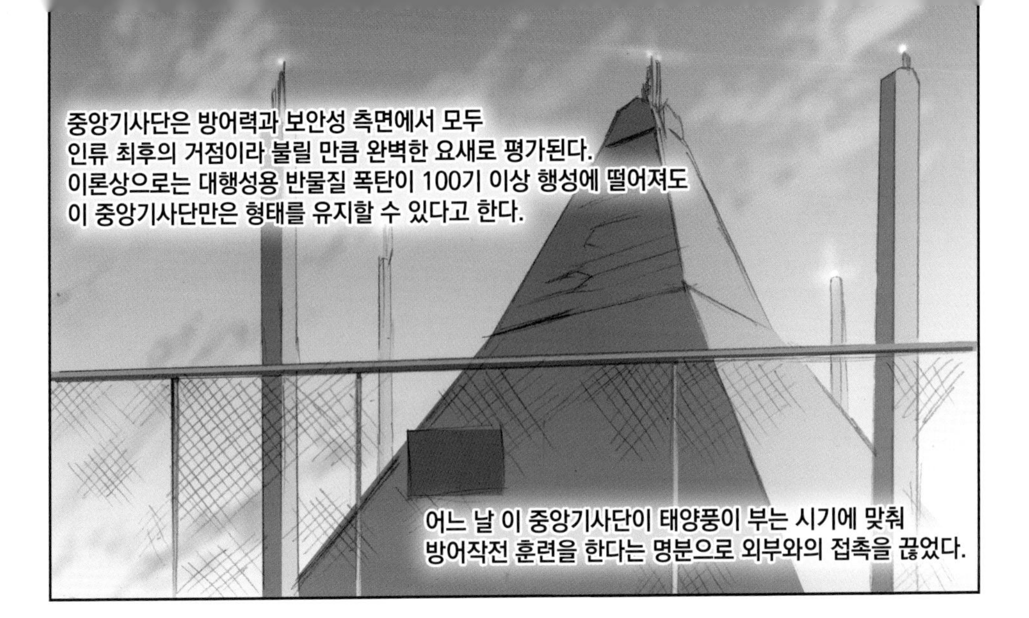

불과 10분 만에 끝난 일방적인 통보에 이어 거의 사용하지 않던
가시광선을 차단하는 불가시 모드까지 활성화하여

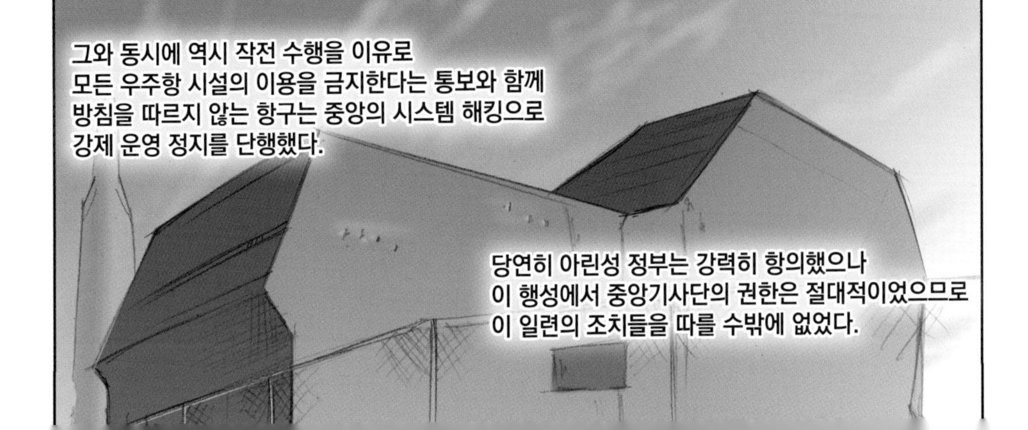

그리고…… 거대한 면적을 차지하는 중앙기사단의 병기 실험용 불가시 실험장,
뉴타사막에서……

7기의 요새형 거대 괴수 가디언이 목격됐다.

가디언. 성층권에 자리를 잡고 행성과 우주를 단절시키는 요새…

모든 통신 레이더 기기에 완벽한 ECM을 펼치는 자밀기관과
가시광선을 왜곡해 조작, 차단시키는 차밀드기관을 대규모로 장비해
행성을 통째로 우주와 차단시키는 이 특수한 요새들과
태양풍에 의한 이동의 제한을 비롯한 모든 조치들로 인해

이곳에서는 일주일간 아무도 모르게

조용한 전쟁이 진행되고 있었다.

더 이상 우주로
쏘아 올리게
해서는 안 돼!
이곳만이라도
파괴해야 해!!

자밀기관이
너무 활성화
되어 있어!

AUA
TAT-201은 대기!
유선식이 아니면
쏘지 마!

상위
괴수다!
촤착
15형
2기!!

투두두두두두두

펴엉
콰앙
제 35플랜트
괴수 사출 저지
실패했습니다.

7%밖에
소멸시키지
못했습니다.
비행체가
상위괴수입니다.
예. 그쪽으로
향할 것
같습니다.
벌써
저기까지.

행성 내 적을
우습게 보는지
플랜트에서
생산되는 건
다 우주용.
대기권 내부용
괴수는 저 가디언에서
내뿜는 게 전부.
아직 결과는
몰라…
32기째 가디언.
저게 완전히
올라가면 아린의
모든 하늘은……

32기째의 가디언.
저지하지 못하면
곧 우주로 갈 수 있는
마지막 하늘길이
막혀 버립니다.
이 병력이
아린 방위군 및
연합군에서 겨우 모은
마지막 함대.
현재 플랜트가
우주용 괴수를
올려보내느라
대기권 내의 괴수는
그리 많지 않습니다.
우주에만
15,000기 이상
쏘아 올린 것으로 보아
우리보다 외부의 적에
대비하고 있는 것
같습니다.
이 구역에서
대기권 내의 병력은
저 가디언의 방어 병력이
다일 겁니다.
지상은…
끝났어요.
피난민을 우주로
대피시키기 위해서라도
저 가디언은 반드시
막아야 합니다.
기사님 부탁드립니다.
중앙기사단 부단장인
당신이라면…
당연히
떨어뜨려야죠.
이곳의
제공권 확보는
중앙기사단으로
가는 루트를
만드는 데도
중요하니까요.

카말, 넌 만화를
너무 봐서 그래.

그리고 너랑
함께라면…
언제나 살아서
돌아올 것 같아.

…친동생 상대로
쑥스러운 말
하지 마.

지상의 피난민 유도는?
사방이 괴수입니다. 이미 거의 다 당해서 대피시킬 피난민도 별로 없습니다.
공중을 빨리 정리하고 지원하러 간다.

죽고 싶지 않아…
죽기 싫어…

마티스! 어서 일어나지 못해!! 그러고 있어 봤자 죽는다고!!
내버려 둬! 어차피 저 상태로는 싸워 봤자야!!

크로스웜이다! 화력을 집중해서 가슴 부분 실드를 깨!!
집중할 화력이 없습니다!

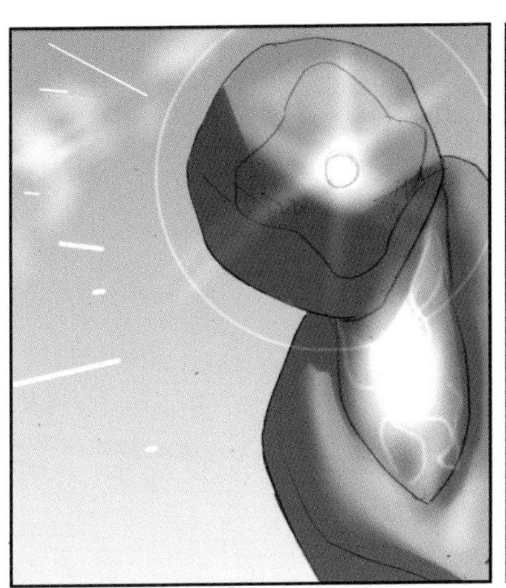

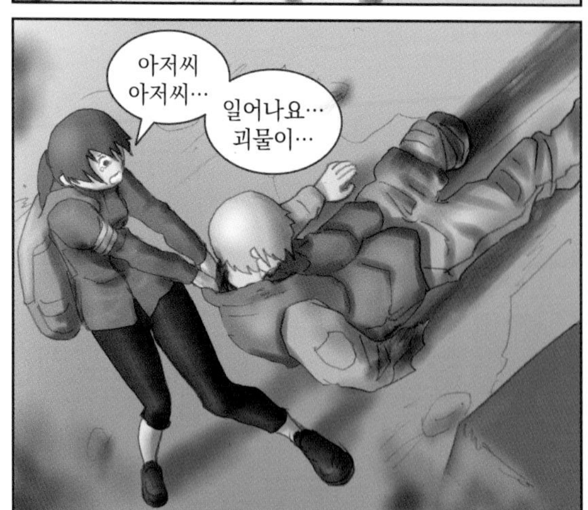
아저씨
아저씨…
일어나요…
괴물이…

타쥬시티는
괴수 천지입니다!
남은 민간인도
거의 없습니다!
더 버틸 수
없습니다!!
퇴각합니다!!

진형만 유지하면
밀리지 않아!!
화력을 집중해
뚫고 들어간다.
어떻게 해서든
기함의 주포
사정거리까지
들어가야 해!!

적 15% 격추!
깨진 실드로 소형기가
침입하는 것만 조심해!!
?! 노심반응!!
상위괴수입니다!!
종류는?
15형!!!

아래쪽으로
들어옵니다!!!
카리토편대
막아!!

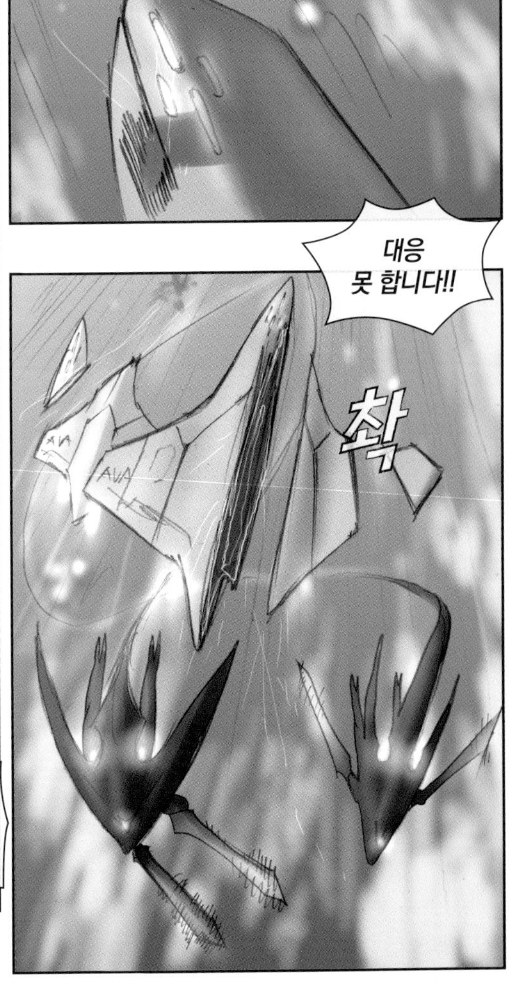
대응
못 합니다!!
착

파이슨의 실드가
깨진 곳으로 침입!!

투투투
투투투
투
투
투
투

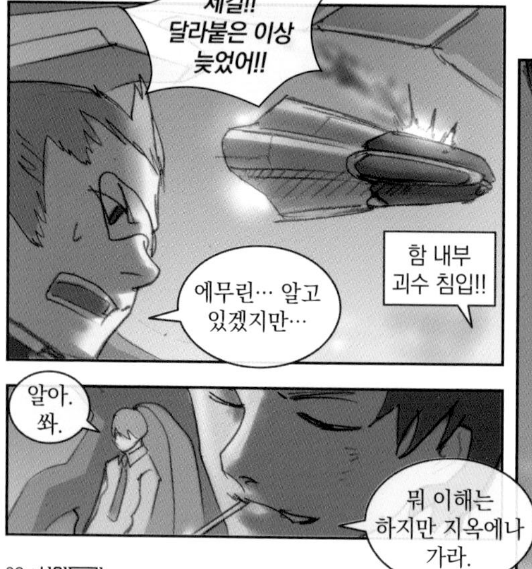
제길!!
달라붙은 이상
늦었어!!
함 내부
괴수 침입!!
에무린… 알고
있겠지만…
알아.
쏴.
뭐 이해는
하지만 지옥에나
가라.

미안.
미사일 해치
70-140번까지
오픈, 쏟아부어!!
멈춘 이상
상위괴수를
잡을 기회다!!

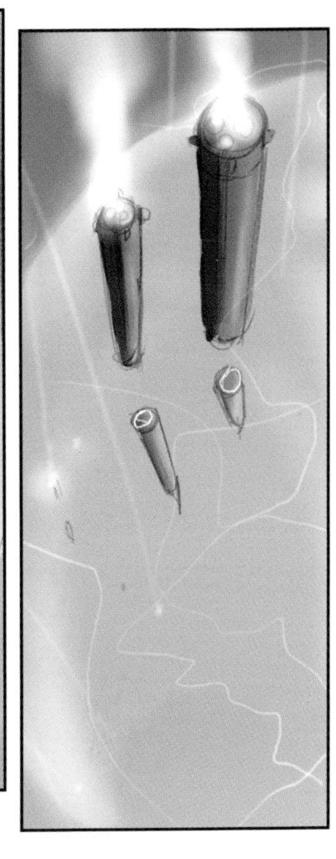

콰아앙

전탄…
…명중했습니다.

뭐…뭐야…
…이 보라색
면 공격…
설마…

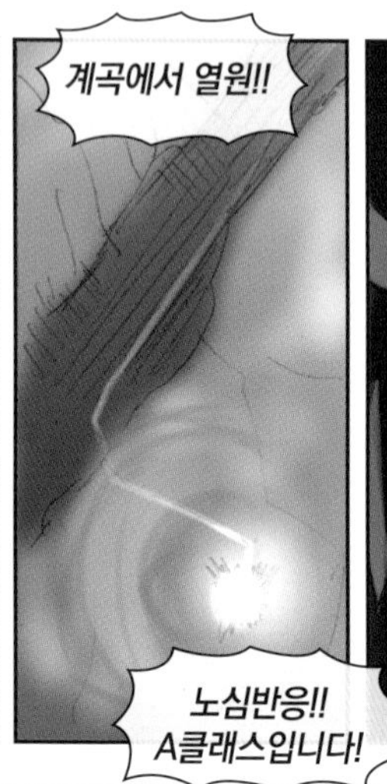
계곡에서 열원!!
노심반응!!
A클래스입니다!

단순한 상위괴수가
아닙니다!!

설마!!
영식(零式)!!!
블루ㅂ…

버미니어
다운!!!!!
콰
앙

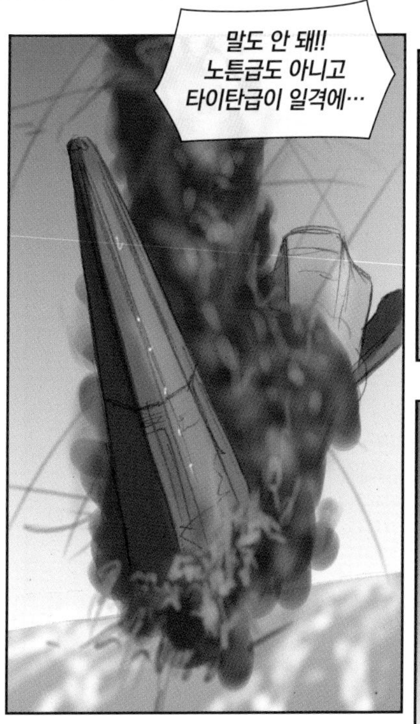
말도 안 돼!!
노튼급도 아니고
타이탄급이 일격에…

…저 빛은 역시…
자색수정창
(紫色水晶槍)…
형(形) 같은 게
아니야…

제2 영식(零式).
블루비틀
(Blue Beetle).

상대할 수 있는 건
기껏해야 77형 정도인데
싱글넘버도 아니고
영식 상대로는!!
원거리 공격은
연속으로 못 써!
근접형 기체니
접근하게 두지 마!!
접근합니다!!
노심형 중형
기동병기
YF-1035를
내보내!!
잠시는 버텨!!
발이 멈추면
함의 주포를 쏜다!!
아직 노심출력이
불안정합니다!!
상관없어!!
YF-1035
2기 사출!

인게이지!!

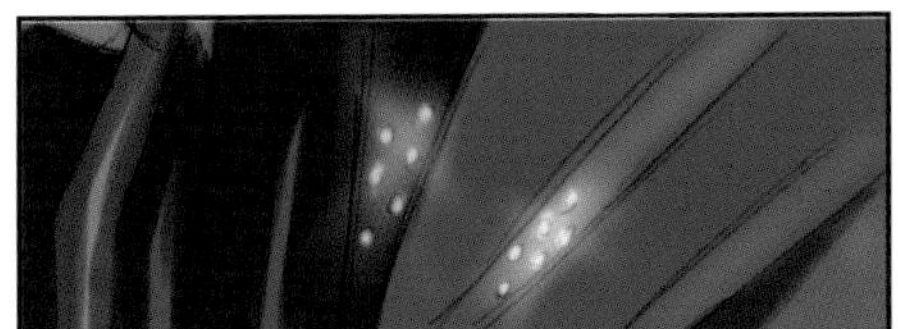

착

노심형
기체가
단번에
잘렸어.

두 자릿수
기사를 벤 녀석이야.
조심해… 오빠.
응. 살아나면
포옹해 줄게.
하지 마.
쪽팔려.

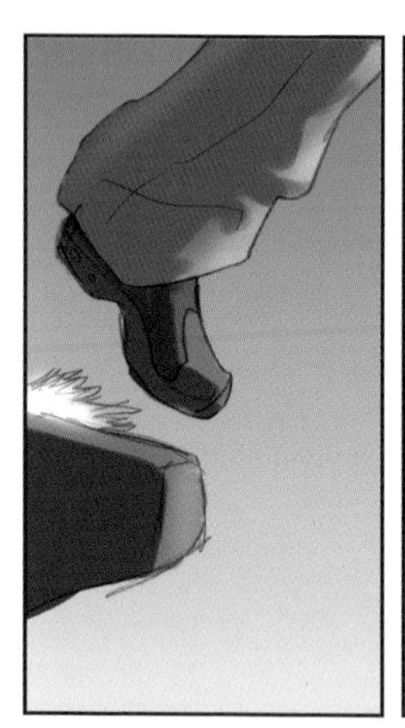

가자.

전투의 묘미는
기습이지!

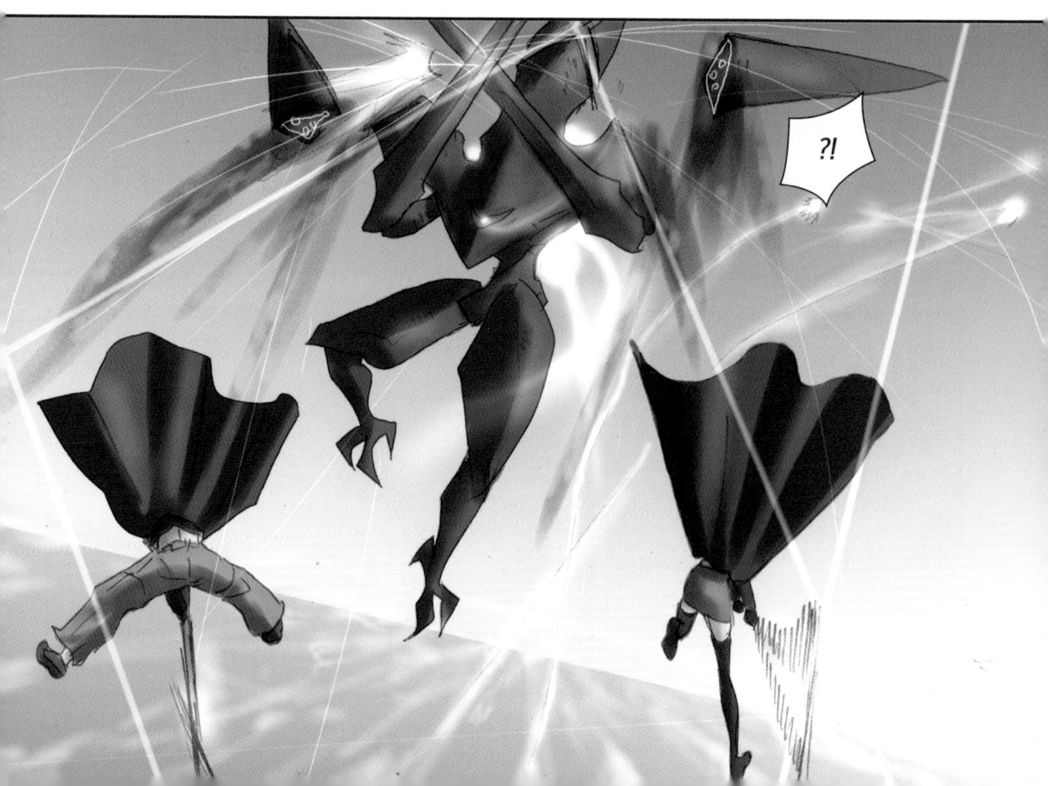
?!

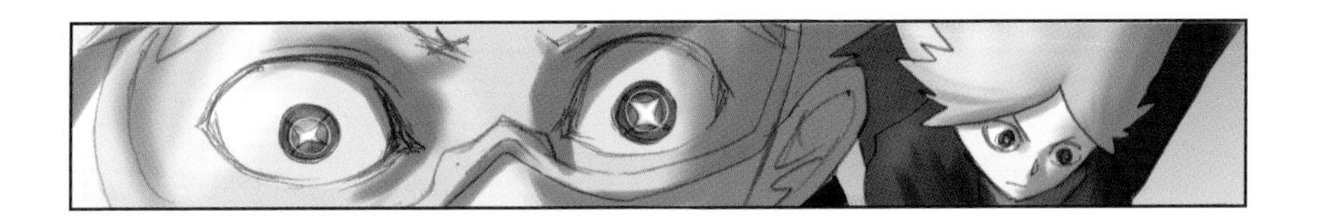

발익(發翼)

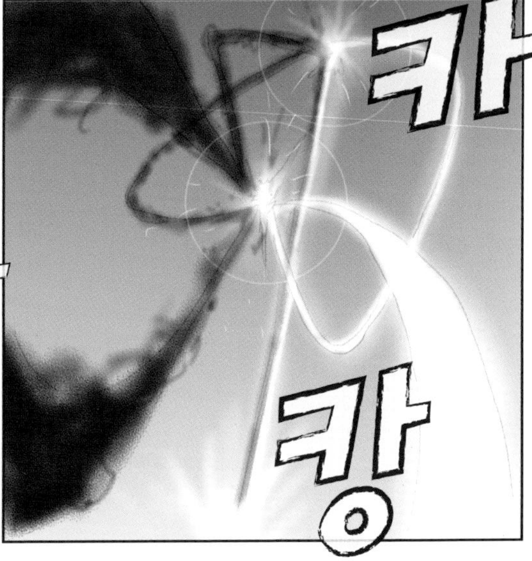

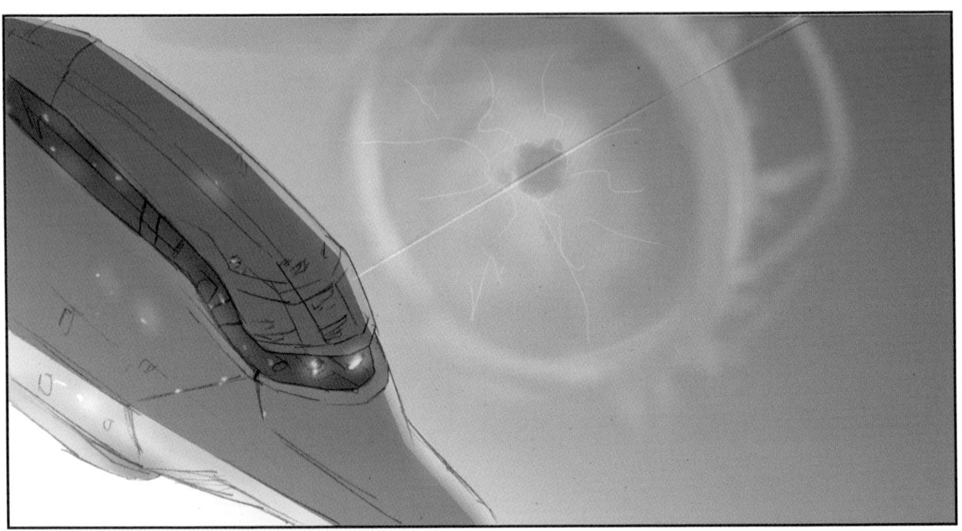

쿵

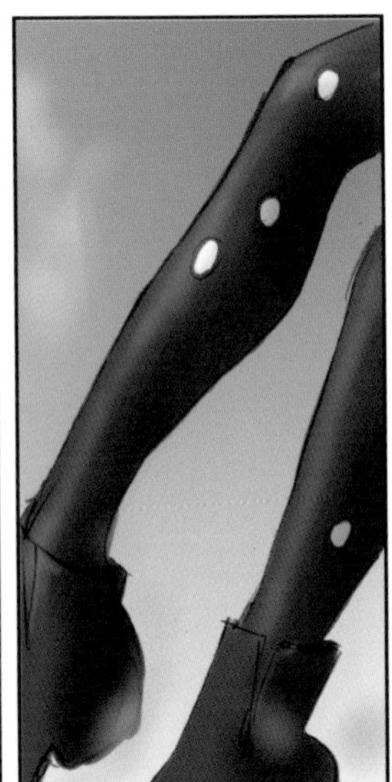

휘 익

철
퍽

꺄아아아
아아아아!!!

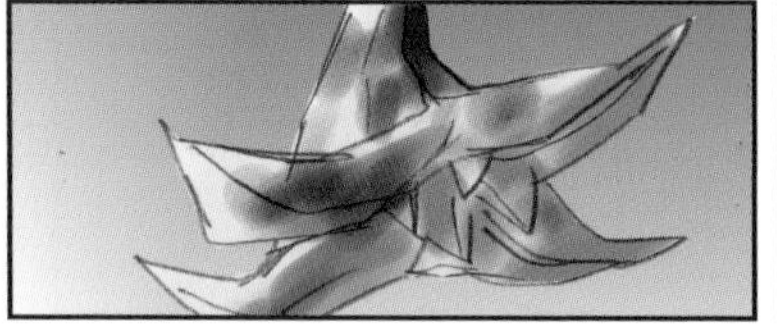

기사…님…

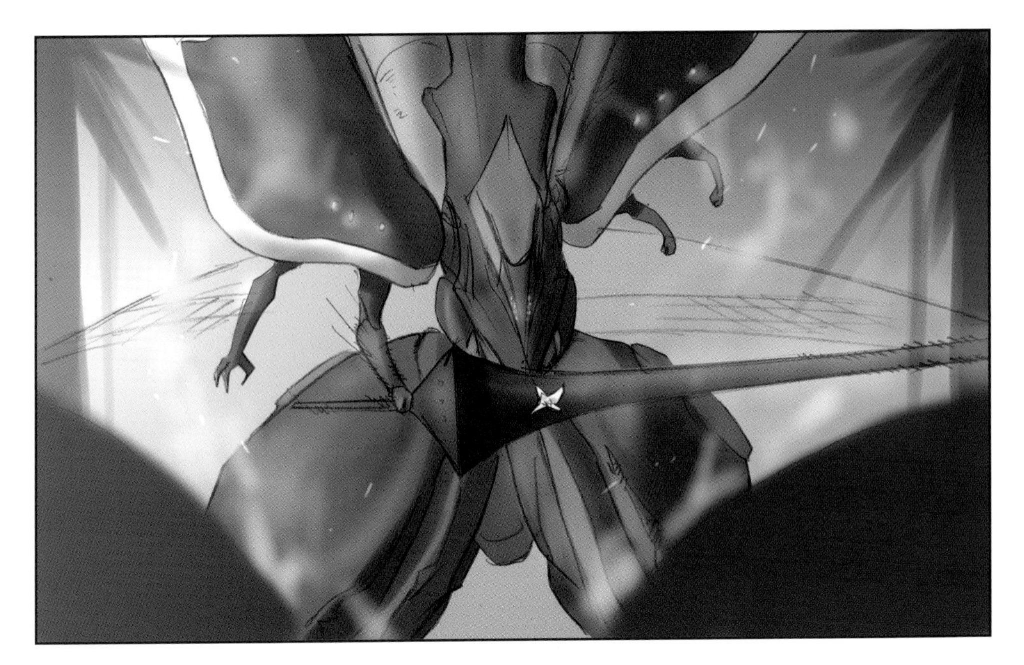

핏
제길…

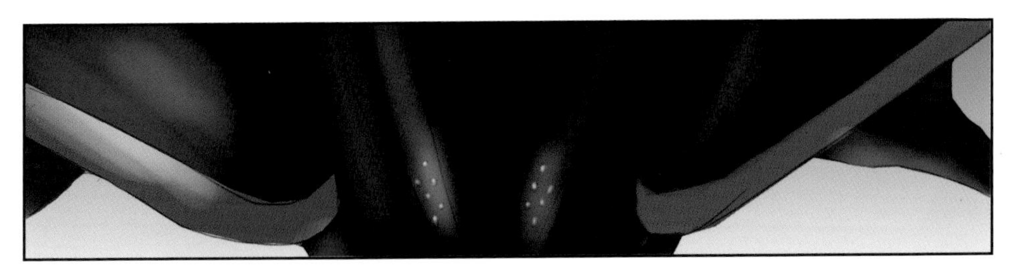

8월 27일 17시 25분. 마지막 남은 구역의 32기째의 가디언 궤도 도달.

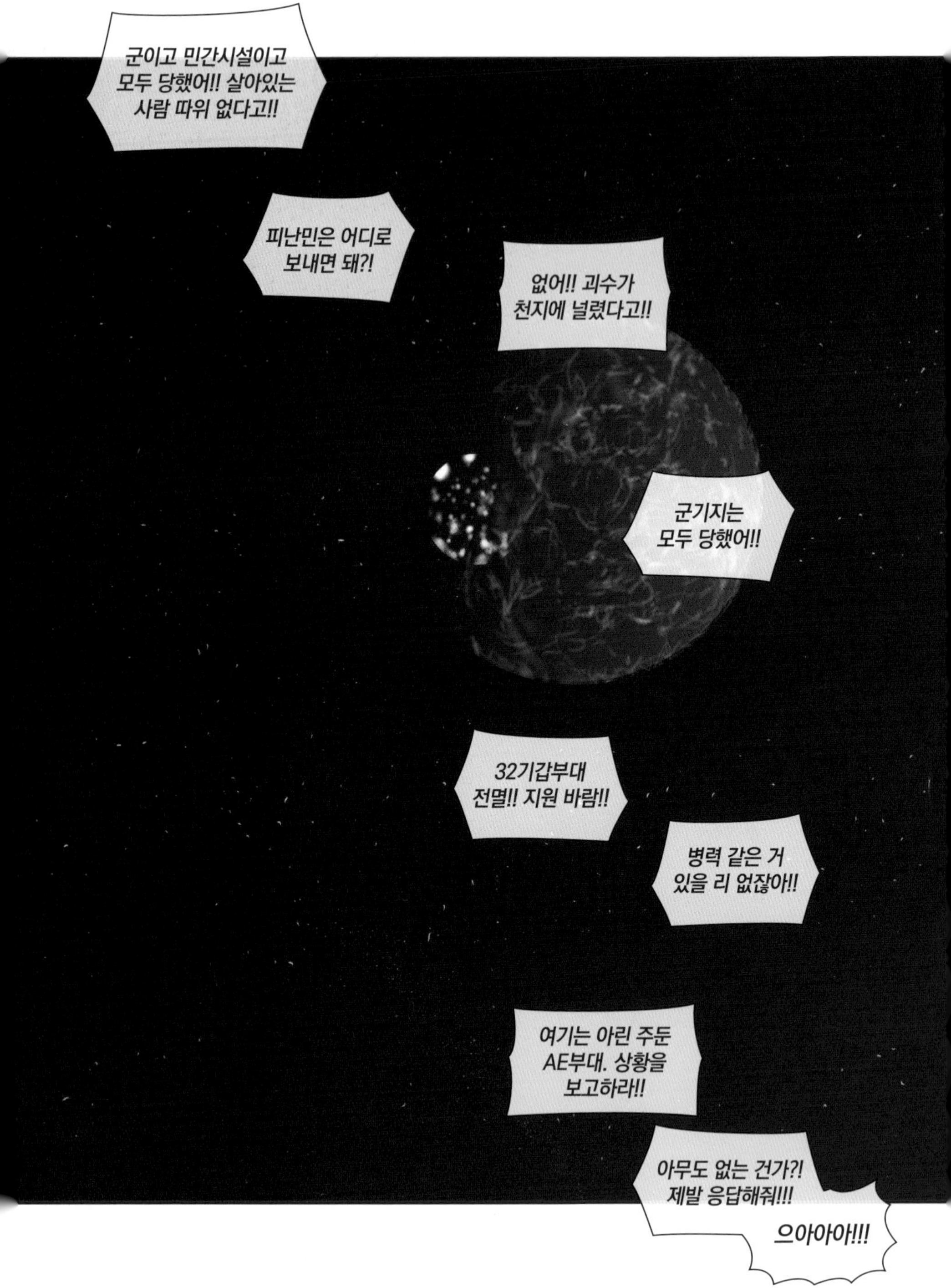

군이고 민간시설이고
모두 당했어!! 살아있는
사람 따위 없다고!!

피난민은 어디로
보내면 돼?!

없어!! 괴수가
천지에 널렸다고!!

군기지는
모두 당했어!!

32기갑부대
전멸!! 지원 바람!!

병력 같은 거
있을 리 없잖아!!

여기는 아린 주둔
AE부대. 상황을
보고하라!!

아무도 없는 건가?!
제발 응답해줘!!!

으아아아!!!

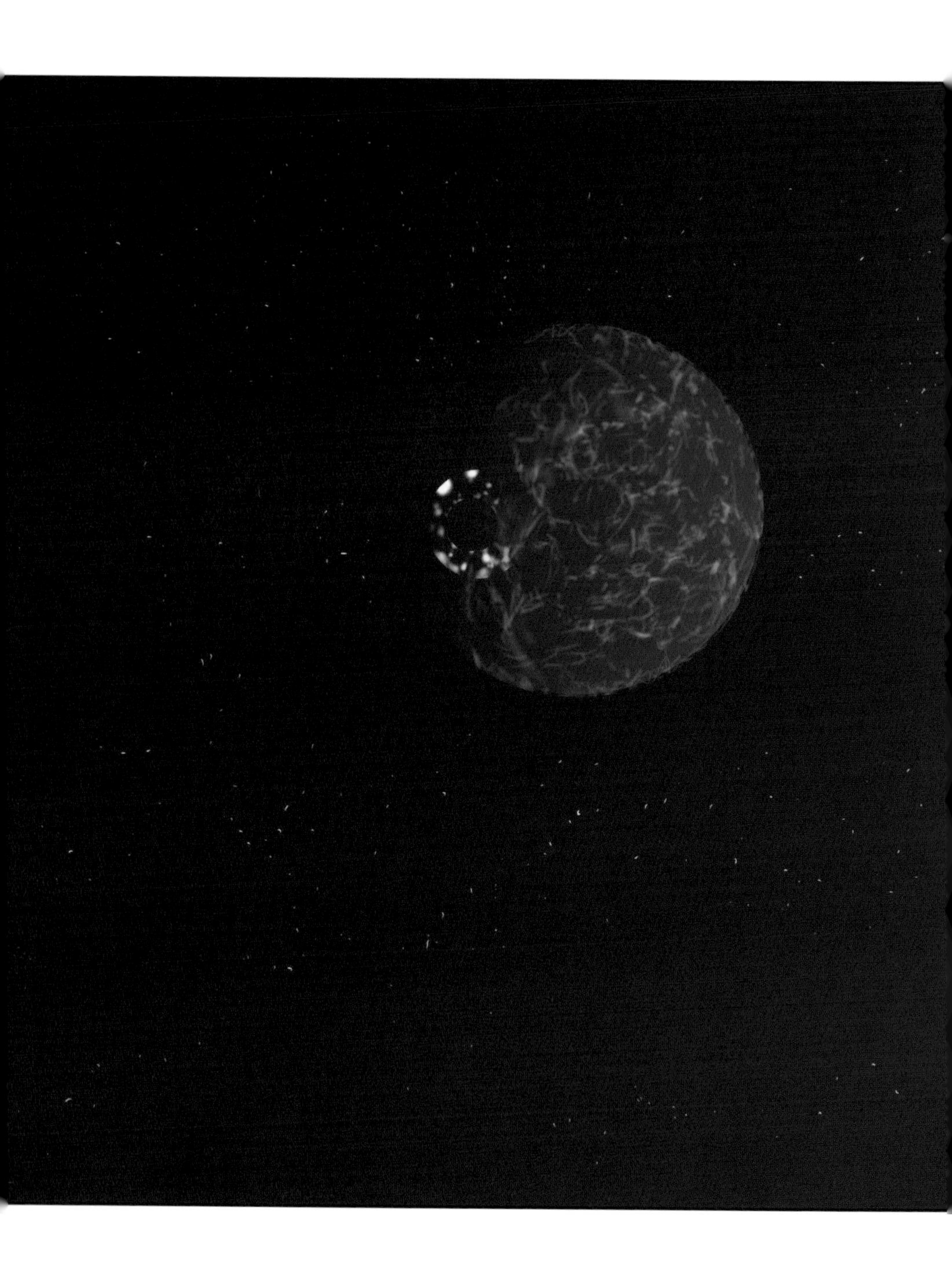

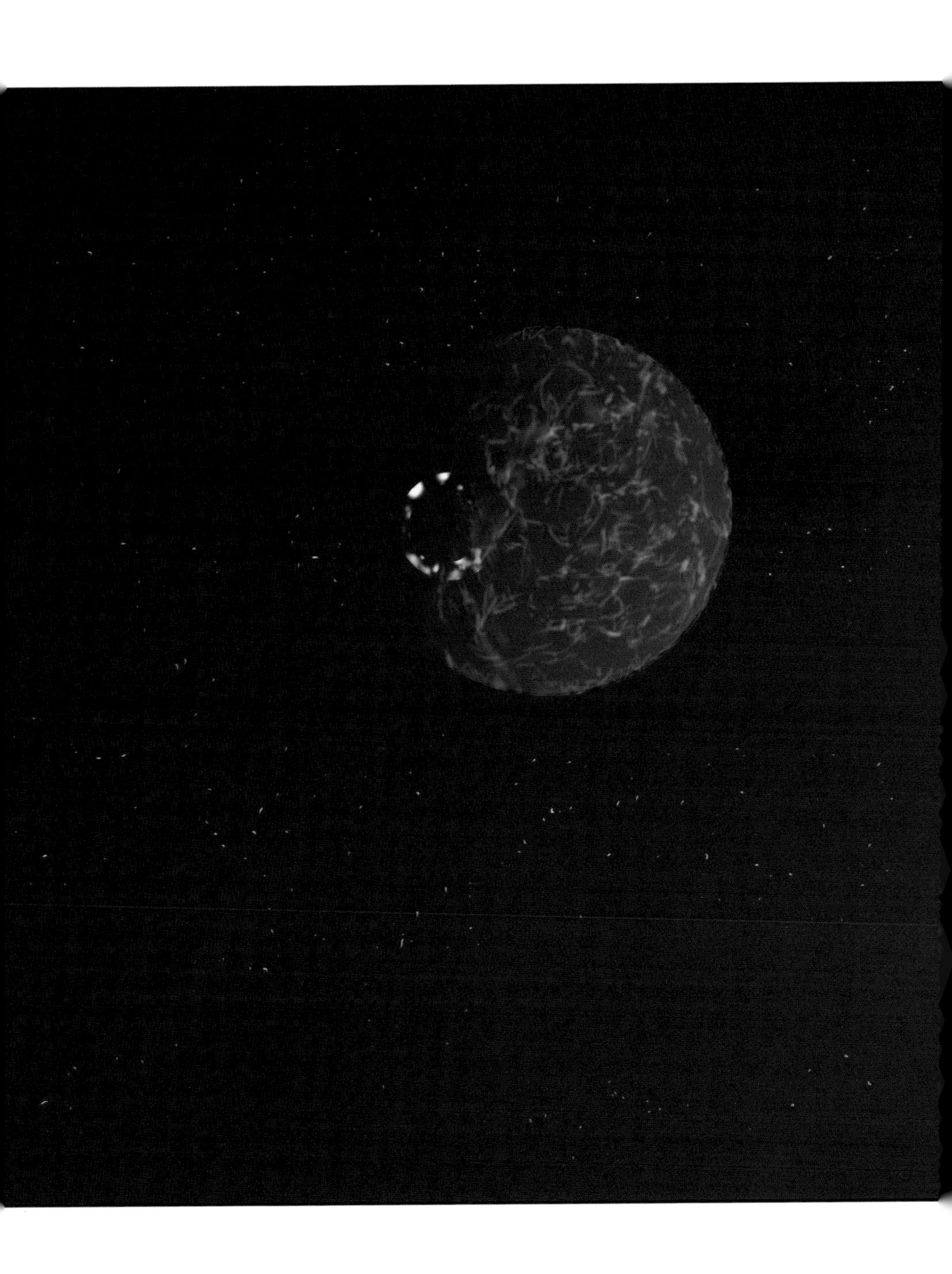

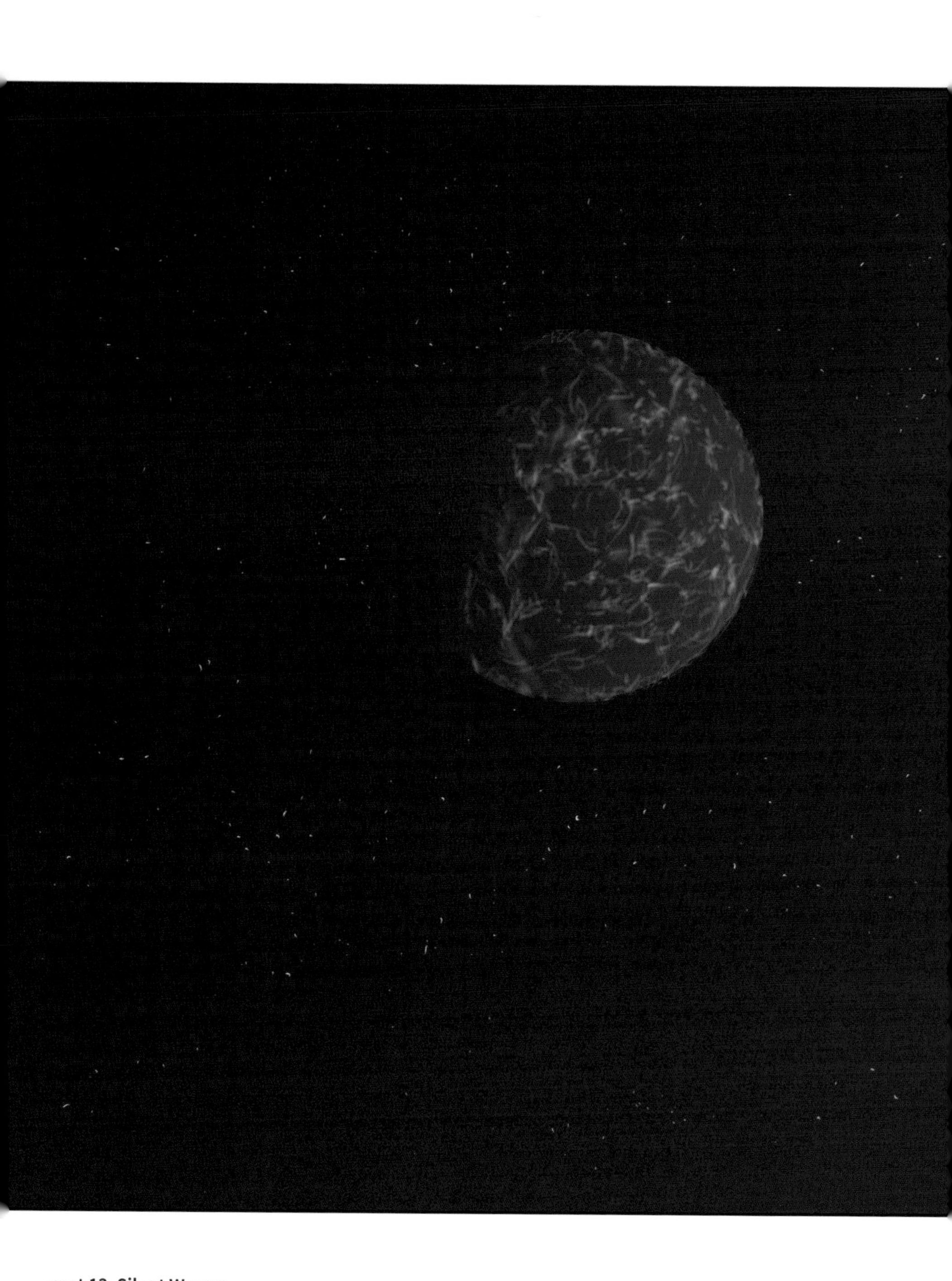

part 13. Silent War |끝|

part 14

아린게이트
붕괴 직전 도착한
워프 통신…
정황을
보자면…

아린의
중앙기사단이
괴수에게 당한 것
같습니다.

지금……
뭐라고……

말씀드린
그대로입니다.
적 괴수가
나온 곳은
아린 본성.

괴수의 수로 보아…
아린은 여왕에 의해
완전히 침식된 것으로
판단됩니다.

아린 방위군에 있을 때 많은 전투에서 함께 싸웠던 다인 중령은
받아들이기 힘든 이야기를 담담히 꺼내기 시작했다.

로아난
다운.
쫓아오는
괴수는 모두
따돌렸습니다.
행성 방위를 위해
진형을 짜고 있는
본대는 움직이지 않는
모양입니다.

추격팀도 피해를
예상하고 바로 물러났어.
체계가 잘 잡혀있는 게
플랜트시드 침입이 아닌
여왕에 의한 침식이다.
적은 재정비 후
다시 올 거야.
대비해.
투린 이민선단함대도
부대 재편에 연계해.

여하튼 덕분에
살았습니다.
투린함대가
없었다면 바로
당했을 겁니다.

이쪽이야말로
덕분에 살았어요.
감사합니다.
과연 노튼 제독,
혼란한 상황 속에서도
멋진 판단력과 지휘력을
보여 주셨어요.

투린이민선단은
제독님께 지휘권을
이양합니다. 종합해서
편성해 주세요.
기꺼이…
투린까지 침공
당하다니…
이쪽도 아린 침공에
연계한 공격이라고
생각합니다.

투린 근처에 머물며
테라포밍 임무 수행 중이었는데
적의 기습에 게이트가 붕괴하기
직전 아린에 도움을 요청하러
워프마커를 따라 왔지만
여기도…
현재 엔진 상태로
워프는 한 번만 가능해
아린의 게이트를 이용할
생각이었는데…
이제 이곳의 모든
워프마커는 파괴됐거나
적의 자밀기관 영향
아래에 있어요.

게이트가 없는 이상
워프마커를 확보해
지원군을 기다려야
하지만 이래서는…

일단 7콜로니는
무사한 듯하군요.
이곳을 거점으로
움직이지요.

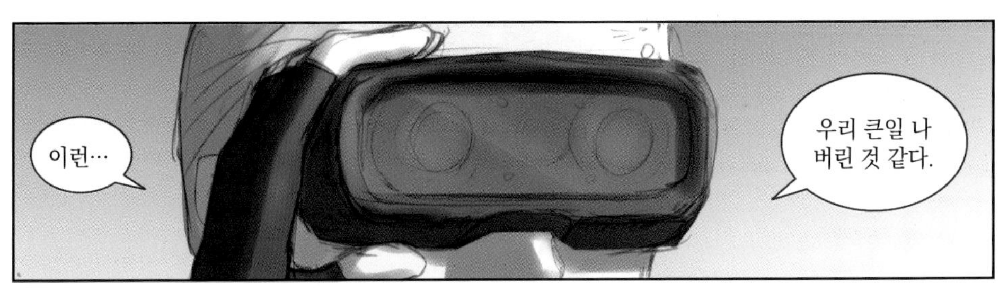
이런…
우리 큰일 나 버린 것 같다.

마지막 가디언이 올라가 버렸네.
영식도 나온 건가… 함대가 낙엽 같군.

적은 우주에 총력을 기울이고 있어. 지상은 지금 가디언에서 나온 병력이 다일 거야.
움직임을 보고 슬슬 남쪽으로 움직이자.

아든은?
파시항 근방에서 스텔스 상태로 잠항 중입니다.
들키지 않고 물 위로 올라올 타이밍은 한정돼 있어.
피난민들 이동 준비 하라고 해.

신원 확인 안 되는 시신은 방부제 왕창 뿌려서 마커와 함께 숨겨놔.
AUA
촤아아
사망자 명단 잘 기록하고 생존자 적당히 달래서 다 데려와.
모자라면 취사용 알코올이라도 들이부어.

죽은 사람 곁을 떠나지 않으려는 사람들이 너무 많습니다.
막무가내니 원…

…
상관없어.
이유불문 강제로라도 끌고 와.
산 사람은 살아야지. 그냥 저렇게 됐다가 시체를 늘리고 싶지는 않아.

죽은 자를 애도하는 마음 이해 못 할 바는 아니지만 시체에게 해줄 수 있는 건 아무것도 없어.
그들에게 해줄 수 있는 건…

지금 잠시 조의를 표하는 것뿐이야.

아린행 게이트 운용이
전면 중단된 일에 대해
아직 정부의 해명이나
입장이 나오지 않고 있어
여러 가지 추측들만
난무하고 있습니다.

기사단의 쿠테타설부터
중앙기사단이 있는 아린에
괴수가 침입했다는 주장까지
제기되는 상황입니다.
LIVE
괴수래
괴수…
바보,
그게 말이 돼?

이에 대해
정부 관계자인
A 씨는…

내일 봐!
내일은 한 잔
하자고!

저런 루머 다
실은 정부에서
흘리는 거 아냐?
세금 올리려고.
방위선
안쪽에 있는
행성들이 당할 리
없는데…
징병제 없는
행성은 다 세금
폭탄이니…
차라리
안전한 데서
9개월 근무하고
말지…
당신이?
웃겨.

이걸로 하자.
이게 옷 색에
맞지 않아?
난 이쪽이
귀여운데…

우와!!
군함이야
군함!!!
도시 위를
날고 있잖아!!
SNS에 올리게
빨리 찍어 봐!!
저기 민간항인데…
기사단 진짜 탈탈
털린 거 아니야?
바보 그럴 리
있냐?
어차피
여기랑 상관없는
이야기야.

현재 기사단이
망설이고 있어 연합도
공표를 미루고 있어요.
AE만이 이곳에 군을
집결시키며 움직이고
있죠.
마더나이트의
완벽한 중앙통제로
움직이던 동서남북 기사단은
지금 의견일치가 제대로
안 되고 있어요.
뿐만 아니라
연합군이나 AE군과의
연계도 엉망이에요.

일단 기사단이
주춤하는 게 가장
큰 문제입니다.
아린성계에 관해선
특성상 AE가 마음대로
건드리지 못하는 지역이라
정치적 문제도 있고요.
사실 중앙기사단 외
나머지 기사단은 중앙이
없으면 아무것도 못 하는
지부에 불과해요. 모두
당황해서 어쩔 줄
모르고 있죠.

그래서
앤 '기사님'이 아닌
앤 '대령님'이
필요한 겁니다.
기사는 은퇴하셨지만
현재 연합, 아린 방위군에서
대령 계급으로 제1함대
전략분석팀장 직책을
맡고 계신 데다

임시 북부연합사령관 출신
노튼 제독 직속으로 계셔서
연합 내 인지도도 상당합니다.
동시에 여전히
기사단 내에서
막강한 영향력이
있으시니

앤 대령님께서 부디
연합과 기사단의 중간자로서
양쪽을 조율해 주셨으면 합니다.
현재 4개 기사단 단장이
이곳에 모이고 있지만…
이래서는 늦어요.

……
…앤 대령님?
까득

아무것도… 머리에 들어오지 않는다.

그저… 한 소녀에 대한 생각만이 머릿속을 맴돌 뿐이다.

앤~ 앤~
으음…
얼른 좀 일어나.
우와아악…!!!!
쿵
오~
와우~
나이스
리액션.
그건 그렇고
삐져나왔는데
관리 좀 하지?
내일 바다 가는데
비키니라인은
확보해야지.

…아니 그전에
솜털도 없는 게
무슨 참견을…
아침 자율훈련도
쓸쓸히 나 혼자
했단 말이야.
맨날 아침마다
정신을 못 차려~
아우 머리야…
너 인마…
그 머리 껍질…
저혈압이니 좀 봐줘…
저녁 운동으로 바꾸자고.
도대체가 넌 질리지도 않니?
이렇게 매일 같이
달라붙는 거?
스킨십이야말로
친근함의 표현이라고
마빡이가 그러던걸?
그 애꾸눈은
자기 성희롱을
정당화하고 싶을
뿐인거라고.
그 바보가 어쨌건
앤에 관해서는
난 동의하는
편인데~
부비적
윽 땀 냄새…
트레이닝 하고 오는
길이라고 그랬지…
옷 갈아입기 전에
좀 씻지…
어차피 곧
친선 검투가 있는걸…
아…!
그럼 준비해야지!!
뭐해!!!
우왁!

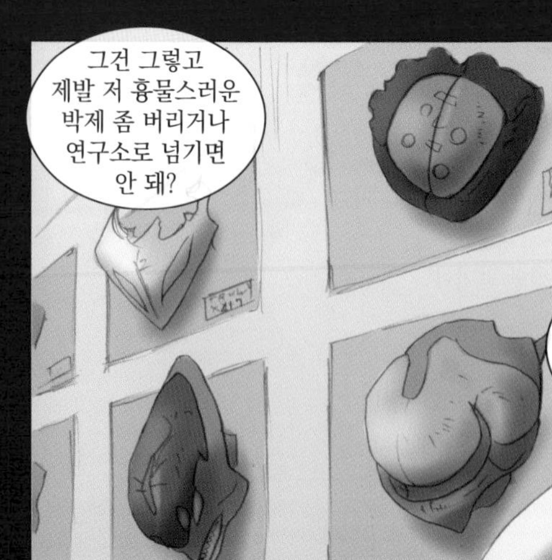
그건 그렇고
제발 저 흉물스러운
박제 좀 버리거나
연구소로 넘기면
안 돼?

나 저것 때문에
가위눌리는 것
같아.
앤도 몇백 년도
더 된 종이책
모으잖아. 그거랑
비슷한 거야.

책 수집하고
괴수 머리
모으기하고
비교하지
말아 줄래?

그보다 괜찮아?
북부 기사 시범경기에
교육생인 네가
나가는 거…
난 좀
걱정인데.
단장의
쓸데없는 고집에
놀아나는 것
같기도 하고…
걱정해
주는 거야?
헤헤~

흐응 뭐 어쨌든
검투는 검투.
교육생이건 뭐건
싸움이니까 대충
박살 내면 돼.
참 편하게
산다 너도.

리본
매 줄게.
?
뭐 그려?
숙제.
미래의 자신.
유치원 미술 시간
같은 숙제에
재료는 크레파스…
이과 필수 과목은
만점으로 수료했으면서
교양 쪽은 아직도
7세를 못 벗어나냐?
심각해
너.
흥…
내 성향이랑
안 맞아서 그래.
하지만 이 숙제는 좋아.
앤도 나오거든.
어? 나도?
어디 보여줘 봐.

어렸을 적처럼 쭉~ 함께 지내는 거야.

그래, 알고 있다… 사교성이 떨어지는 이 녀석이 무리하며 기사단에 들어온 건……

우리도 둘이니까
꽃도 외롭지 않게…

part 15

Knight Run

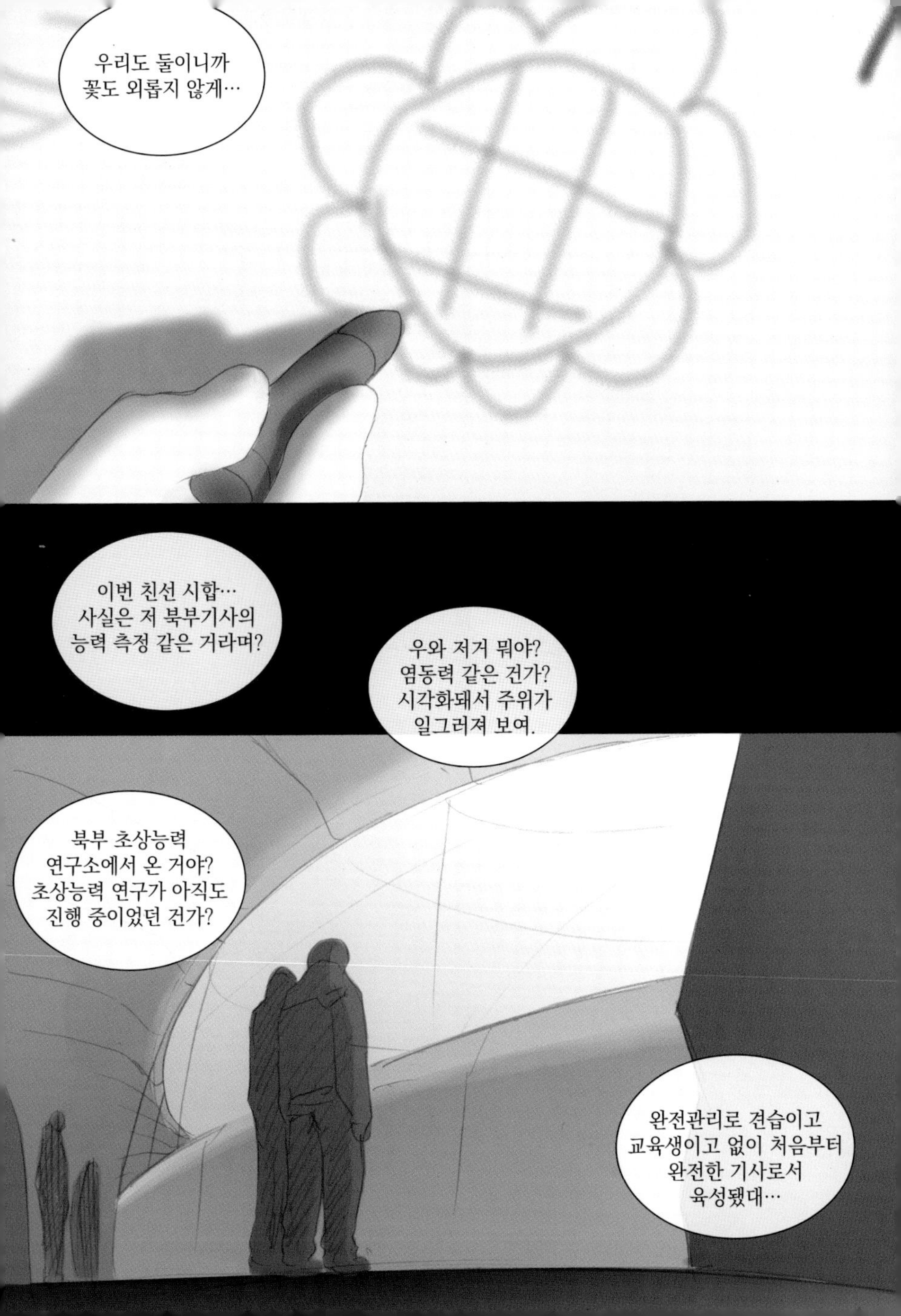
우리도 둘이니까
꽃도 외롭지 않게…
이번 친선 시합…
사실은 저 북부기사의
능력 측정 같은 거라며?
우와 저거 뭐야?
염동력 같은 건가?
시각화돼서 주위가
일그러져 보여.
북부 초상능력
연구소에서 온 거야?
초상능력 연구가 아직도
진행 중이었던 건가?
완전관리로 견습이고
교육생이고 없이 처음부터
완전한 기사로서
육성됐대…

뭐야 모자이크베이비가 아닌 거야?
일단 맞긴 한데 모 전투 혈족의 몸을 소체로 활용한 바이오로이드에 가깝다는 말도 있어.
거기에 십자회가 얽혀있으니… 뭔가 은밀한 존재이긴 하지.
여러 가지 능력이 엉켜있어. 저 상태를 용케도 유지하고 있네.
7개 이상의 이능력과 초상능력을 집어넣었다는데…
사실 십자회에서 소체를 제공했대.
소문으로는 대영식전의 히든카드로 키워진 병기라고 하더라고. 불안정한 인격만 교정되면 차기 단장으로 키울 예정이라던데…
우와 거물이잖아.

전 남부기사단장 알프에
십자회의 주교도 있네.
연합사령부 부사령관에
마스터나이트도 많고.
나름 관심도가 높네.
중앙까지 일부러 온
보람이 있어.
잘나신
연구소 소장님이
직접 모셔온 신인
기사인가?
흥… 낙하산
소장이라고
비웃는 것도
지금뿐이야.
다인은
강해.
능력은
마스터나이트
이상일걸.
너보다 나을지도
몰라, 마일로.
웃기네
키르케.
저 아이…
프레이라고
했던가…
아무 특별한
능력도 없는
아이였지.
방호 코트도
안 입고 있다니
죽고 싶은 건가?
유명한 건 아는데
그래봤자 교육생…
검에 안전장치가
돼있다고 해도
저 아이 죽을지도
몰라.

자존심 문제겠지… 중앙의 기사를 신인한테 지게 할 수는 없으니까.
대충 나이츠에 기사 몇 줄 나온 교육생을 희생양으로 세운 꼴이라니…
우리 단장이 그럴 위인은 아닌데…
호오~ 다른 의견이 있을 수 있나 이 경우.
반대로 굳이 저 교육생까지 내세울 필요가 있었냐는 의견이 있을 수도 있지. 적어도 중앙기사단에서는 이 대결…
그대, 검을 들지 않는 건가?
양동을 위한 트릭?
염동력자 같은 건가?
아니 날을 가린 건 다루기도 싫고 …
너처럼 어중간하게 센 애들을 상대로 검을 들면…
힘 조절이 잘 안돼서 무심코 죽여 버릴까 봐.
…공포로 판단력을 잃은 건가?
위
이
잉
어처구니가 없군.

몸
구석구석에
…
공포를
새겨 주지.
초상능력과
이능력의 동시 사용.
저 구슬은 처음
보는 건데…
흐응… 힘의
크기도 크고.
귀찮네.

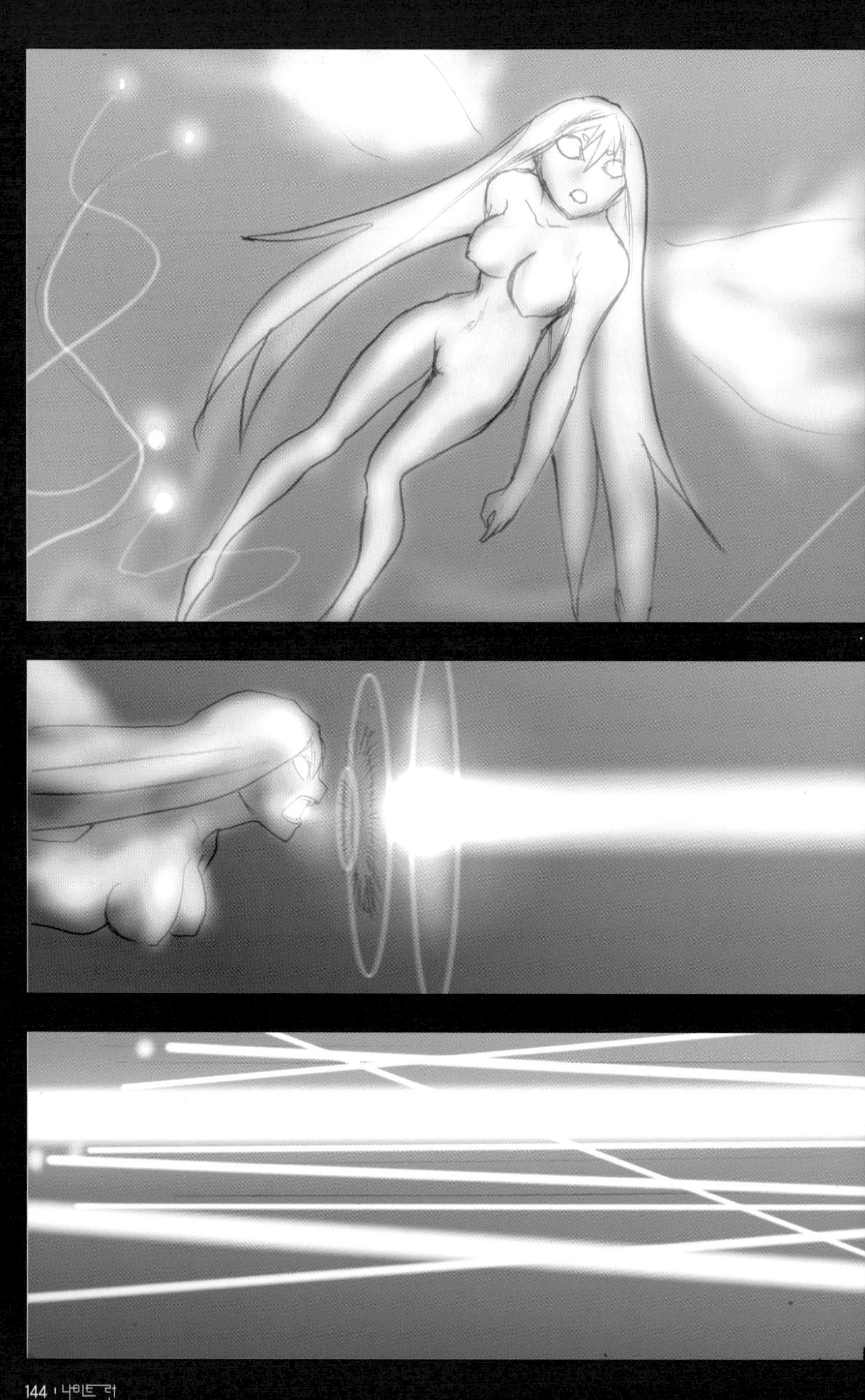

굉장해!!!
뭐야 저 현란한
기술은?
이런 엄폐물도 없는
폐쇄공간에서 초상능력이
없는 인간이 이길 수
있을 리 없잖아!!!
그리고
저 빛…
설마… 저
자율전투구체…
혹시 요정왕
(妖精王)의…
그래…
전설의
재현을 보여
주…

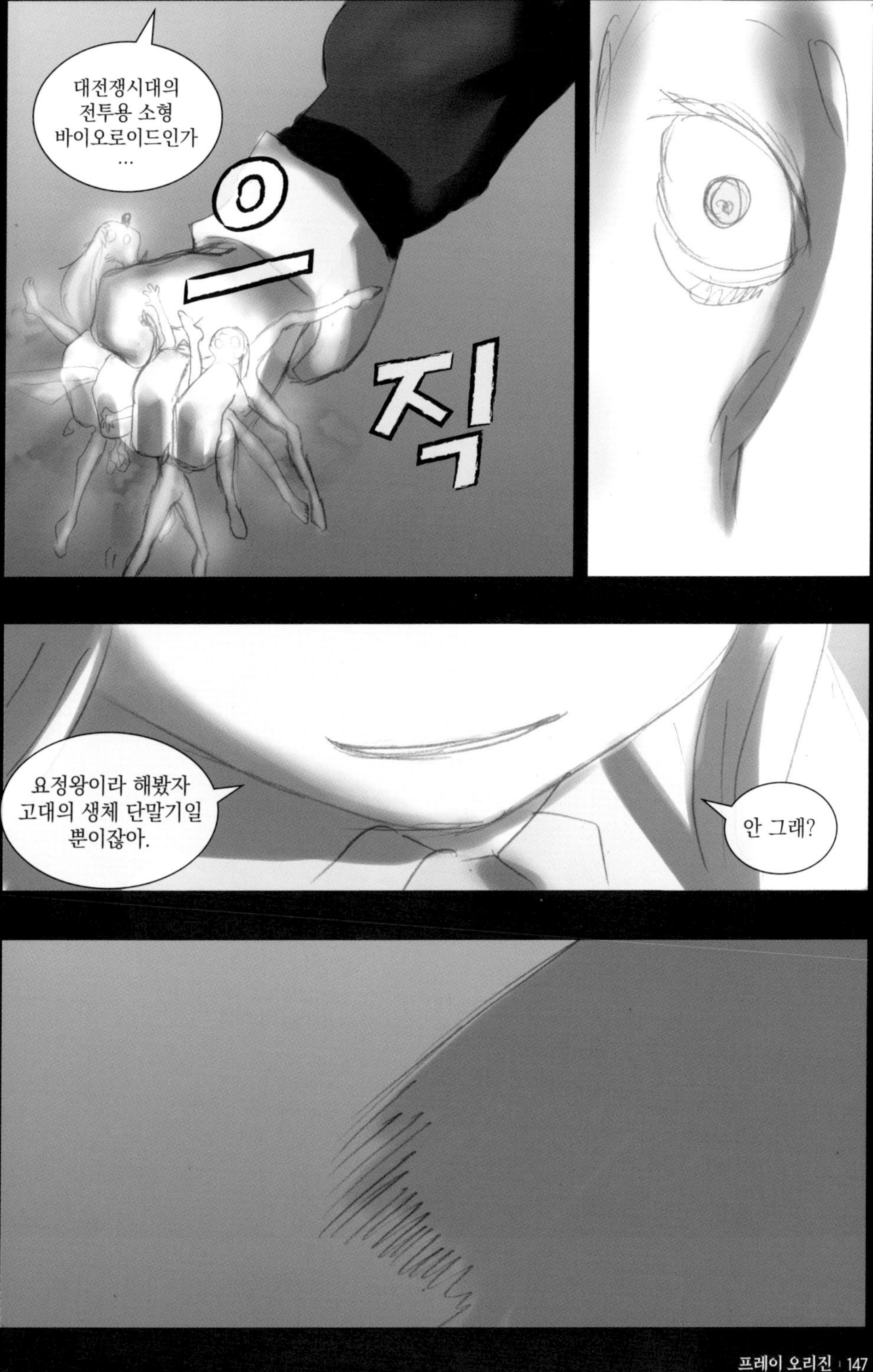

대전쟁시대의
전투용 소형
바이오로이드인가
...
으
직
요정왕이라 해봤자
고대의 생체 단말기일
뿐이잖아.
안 그래?

프레이식(式)
성괴붕권
星壞崩拳

억
쩌

우와 봤어 지금?!
맨주먹으로
DC코트를 뚫었어.
역시 프레이는
당할 수 없는 건가…
…어?
지금… 뭐가…
잠깐 모두 피했…
…아니 한방에…
아니… 그…
맨주먹?
무리하게 교육생인
프레이를 내세운 건
우리로써는 저 녀석을
테스트하기 위한
거기도 하니까.
내장이
파열됐을지도 몰라!
응급처치 서둘러!!
척추를 다쳤을
수도 있어!
조심해!!
그 결과는 하나도 놀랍지 않았다.
프레이를 걱정하는 마음만큼이나
그녀가 무사할 거라는 확신이
있었기 때문이다.
그녀는 누구보다도 강하다.

많은 사람들이 착각하지만
프레이의 힘은 이능력이 아니다.

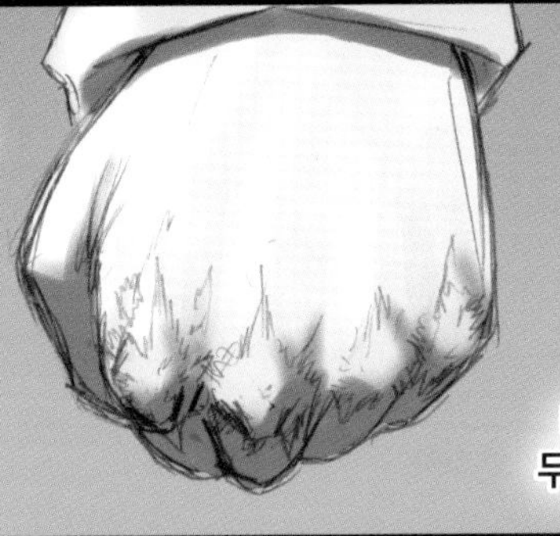

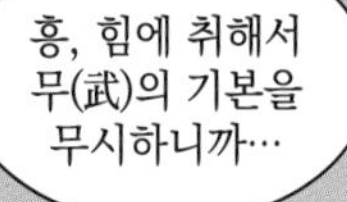

순수하게 인간으로서
쌓아 올린 업.

'무(武)'.

매일매일 수없이 단련하여
무(武)를 쌓아 얻은 강함이다.

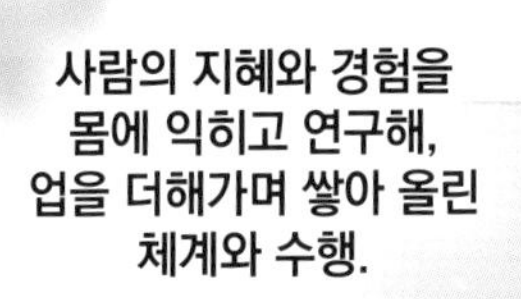

담을 수 있는 그릇의 크기,
쌓아 올리는 방법론이나
창조성의 재능은
따로 있다고 한다면…

그녀는 그것들을 얻고자
모든 시간을 쏟았다.

타고난 재능이 없는 자가
강함을 얻기 위해 필요했던 건…

간절함과 더불어
쌓아온 오랜 시간들.

그것은 아마도……

누군가를 '지키기' 위해서 필사적으로…
…너무나 필사적으로 쌓아온… 삶의 발로일 것이다.

으아!!!

엥?!

저 녀석 왜 저래?!
도망쳐!!

이능력이
폭주하는 거야!!
제길! 이성을
잃은 건가
저 루키?!

크아아아아!!!
날
죽이고
싶은 거야?

으—
직

약한 주제에
이빨을
드러내니까…

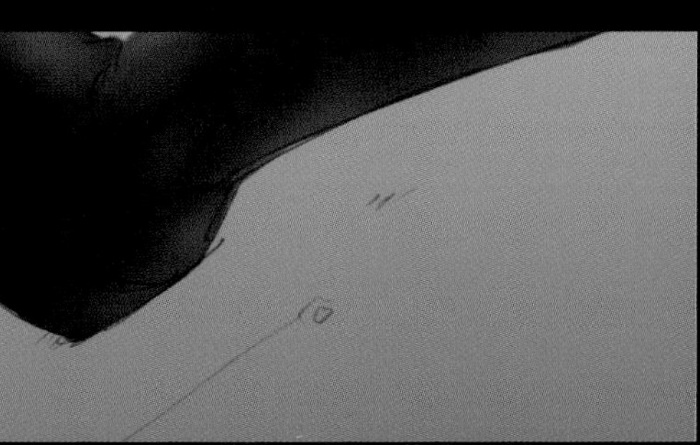

안돼!!!
프레이!!!
앤!!!

콰직

그만둬.
그때처럼?
…죽일 셈이야?

아…
…
아니…
그게…

저기 이건…

그게
아니라…

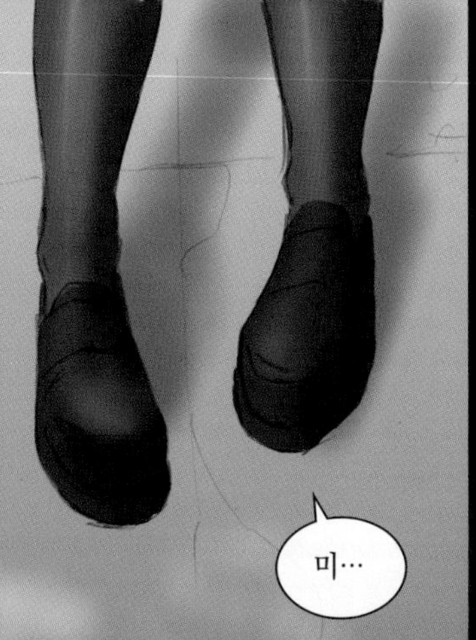
미…

미안…해.
뇌진탕이야!
빨리 들것
가져와!

다가오고 싶지만
거부당할까 봐
언제나처럼…
조심스레
옷을 잡는다.
어쩔 줄 모르며
매달리듯…
잘못했어…
다음부터는
안 그럴게…

그러니까…
화내지… 마.
…나…
싫어진 거
아니지…?

…그래.
…화 안 내.
…또 그러면
안 돼. 알았지?
응.
결국 또…
모질게 대하지
못한다.

높은 전투 능력에도 불구하고
교육생을 벗어나지 못하는 프레이.

문제가 되는 건 성격.

그녀에게는 도덕 관념이 통하지 않는다.

사람의 목숨이 사라지는 것보다…
나에게 미움받는 걸 더 무서워한다.

오직 나만 보는 프레이…
난 그녀만 탓할 수는 없었다.

발티아 남부 방위군은 설득했어. 그런 타입은 감정에 호소하는 게 잘 먹히니까.
여전히 함 숫자가 너무 모자라.
아직도 눈치 보거나 협약에 묶인 각 군부와 방위군은?

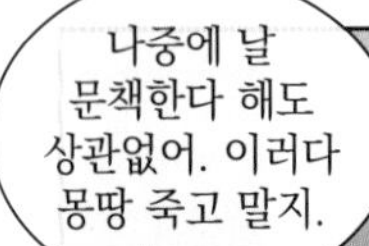
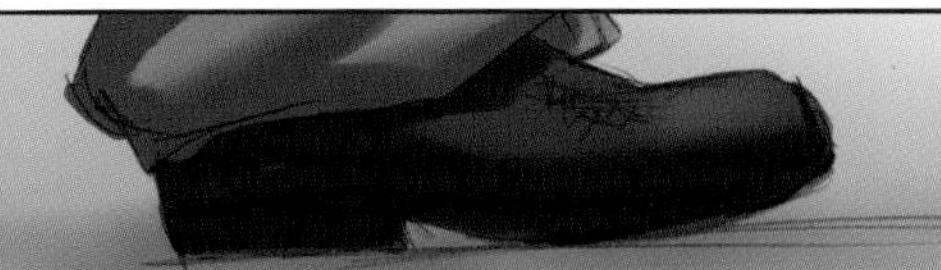
나중에 날 문책한다 해도 상관없어. 이러다 몽땅 죽고 말지.
지금 상황에서 중요한 건 시간.

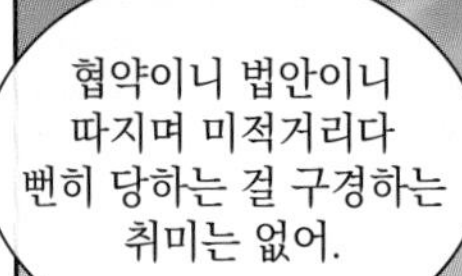

협약이니 법안이니 따지며 미적거리다 뻔히 당하는 걸 구경하는 취미는 없어.
임시 총기사단을 자칭해서라도 원탁을 열겠어.

내가 중심이 되어 주지.
이만큼 모였으니 이제 날 따라오는 것 말고는 다른 선택지가 없을걸?
하지만 형, 이번 공표는 다들 꺼리고 있는 거 아냐?
방위권 내부 행성 시민들의 안정? 흥, 평화에 너무 익숙해져서 세금이나 걱정하는 애들이 그거 듣는다고 이 행성을 뜰 것 같아?
불안감이 퍼지면 여론이나 단체들이 움직이면서 오히려 행동이 빨라질걸?
표 얻고 싶은 의원들도 우리에게 찬동해 줄 거야. 이제 물러설 곳이 없다는 걸 깨닫게 해 줘야지.
그보다 게이트 붕괴 전 들어온 정보가 맞다면 문제는 앤이야.

나온다.
우리 독점이야.
실수하지 마.
천천히 클로즈업.
제법 마스크 좋으니까
바짝 땡겨.
동부기사단 단장대리가
임시 총기사단을 자칭해서
원탁을 소집하는 걸 진짜
공식으로 내보내도 되는 거야?
보도관제 되는 거
아니야?

동부기사단
단장 대리, 드라이
레온하르트입니다.
저는 지금
무리하게 초법적인
활동을 하면서까지
여기에 섰습니다.
어떠한 결단을 했기
때문입니다.

위기가
찾아왔습니다.
여러분의 가족,
친구, 사랑하는
사람들을 위해
우리들이
해야 할 일을
떠올릴 때가 됐다고
생각합니다.

인간의 삶을 지금껏 지켜왔던…
인류 최후의 거점 중 하나인 중앙기사단이 괴멸했습니다.

그리고 저는… 싸워야 한다는 말을 하기 위해 이곳에 왔습니다.
대령님, 제 말 듣고 계신 겁니까?
듣고 있어요.
딱히 문제는 없을 겁니다. 드라이가 이곳에 있으니까 어떻게든 움직이겠죠.

잘못된 판단을 하는 녀석은
아니니 거기 붙어요.
그 녀석이라면 군과 타 기사단,
그리고 대중까지 움직일 수 있는
힘이 있어요.
조금 무리한
움직임을 취하겠지만
아마 지금 상황에서는
그럭저럭 최선의 선택을
할 겁니다.

가끔 너무 막 나가니
견제는 해야겠지만
전 거기까지 할
여유가 없어요.
예?
오히려 절 좀
도와주세요.

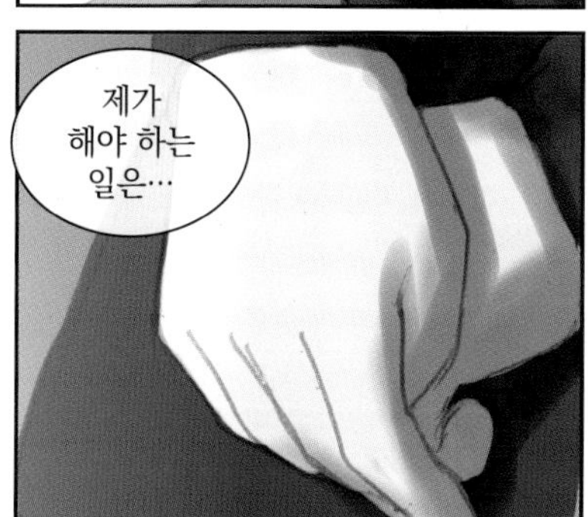
제가
해야 하는
일은…
어떻게 해서든
아린으로 직접
가는 겁니다.

part 15. 누군가를 위한 힘 |끝|

part 16

Knight Run

그때 본성에
있었는지
불분명했었지?
살아있을지도
모르잖아.
……
그런데 이제야
걱정하는 거야?
지금까지 관심도
없었던 주제에.

아니면
죄책감일지도
모르지.
약혼자는
거들떠보지도 않고
줄곧 다른 사람만
바라보고 있었으니
말이야.

약혼자로서는
잘 모르겠지만
…
오랜 시간
알고 지내온
여동생 같은
녀석이니까…

…

그래… 완전히는 부정 못 하겠군.
우웅
흐응… 또 대충 넘어가려 하네.

형은 언제나 그런 식이야. 흐리게 적당히.
가문도 지위도 나한테 넘기고 티 안 나게 살려고 노력하는 거 보면 솔직히 맘에 안 들어.
떠먹여 준 밥 따위 좋아할 놈 없지.
거기다 웃기게도 이번에 스스로 나선 건 앤 아줌마 때문인가?
약혼자의 행방불명… 오히려 잘된 상황 아니야?

다니엘!! 못 들어 주겠다. 거기까지만 해.

…흥. 착한 척하긴.
눈앞의 일에 집중하자. 곧 원탁이다.

정보대로군.
저 차량인가?

화려하게
맞이해 주자고.

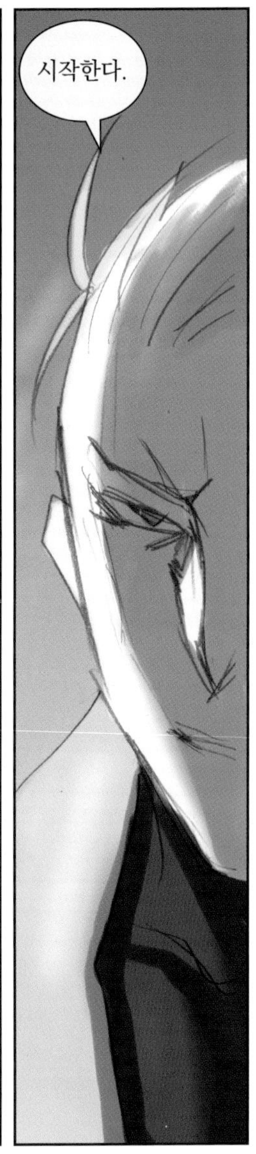
시작한다.

콰
앙

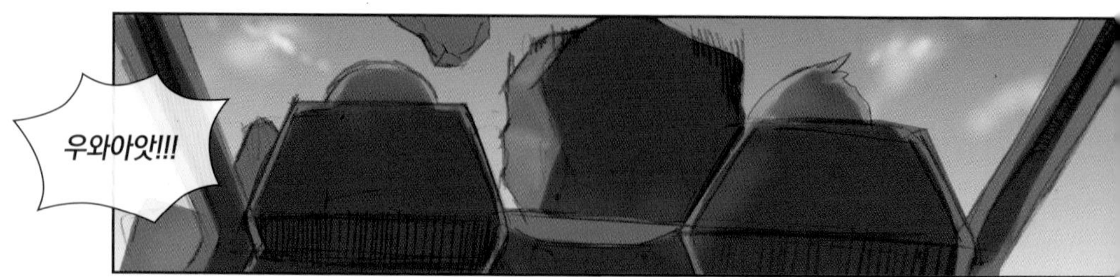
우와아앗!!!

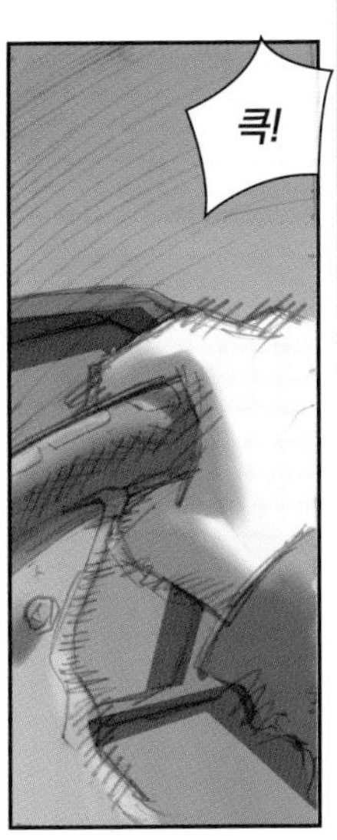
크!

끼기기기

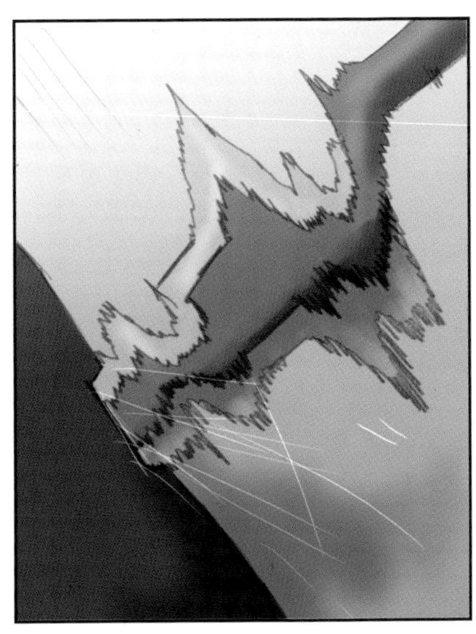

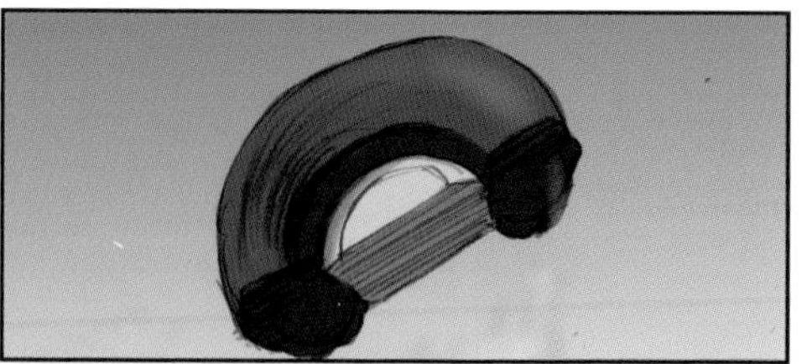

뒷북인 줄 알지만 이래도 되나?
좀 과격하지 않아?
정중하게 할 거면 애초에 교통센터에 협력을 구했을 겁니다.
절차상 약간의 문제가 있으니까 이러는 거죠.
결국 뭘 해도 문제가 되는 일이군.

제길 뭐야. 이건…
저 녀석들…

군 차량을 습격하다니…

꼼짝 마!
천천히 손을
머리 위로 올려!!
봐봐 잔뜩
골이 났잖아.
손 들라고!
싫은데
어떡하냐.

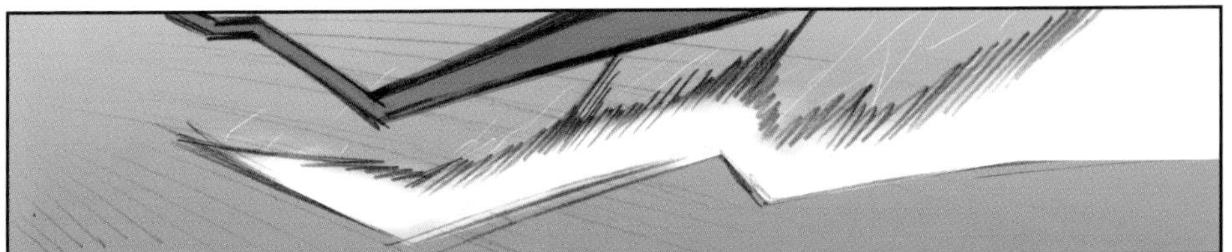

어?

툭

미안 미안.

새로 하나 사 줄게.
울상 짓지 말라고.
청구서는 동부기사단에 보내.

…아우 뒷목이야… 저 겉멋 든 꼴 보니 딱 기사인 것 같은데요.
으… 중령의 기사에 대한 편견은 잘 알겠어.

누구지?

버넷.
꼴사나운 드라이의 심부름꾼이지.

당신을 데리러 왔어. 앤 마이어 퇴역기사 나리.
바쁜 건 알지만 같이 가 줬으면 해서…
와~ 인기 많네요, 대령님.
닥쳐요.

드라이는 방금 중앙기사단 상황을 민간에 공개하고 세력을 모으는 중이야.
당신은 각 연합군 쪽에 발이 넓잖아. 원하는 건 그쪽 군인 아저씨가 당신을 부른 것의 연장선에 있겠지.
굳이 이런 방식을 취한 건 드라이의 의견이었어. 그 인간은 친구로서 당신을 걱정하는 모양이더군.
그것 때문에 이런 짓인가?
공적으로도 당신 정도의 영향력을 가진 사람이 사고 치면 큰일이거든…
가령
시답잖은 정 때문에 혼자 아린으로 가려고 무리하게 단독플레이를 하다 요절한다든지 말이야.
무슨 상관이지? 난 이제 기사가 아니야.
이런 억지, 무리가 있을 텐데. 법적이든 절차든 여러 가지로.
사실 많지.
알고 있어. 그런 거 따질 거면 애초에 신연합을 만드는 강행 따위 하지 않아.
목적을 위해 수단을 가리는 타입은 아니지. 드라이와 다니엘은.

솔직히 맘에 안 들어. 뭐가 아쉽다고 당신같이 다 망가진 퇴물 기사를 데려오려고 난리인지.
중앙기사단이 날아가서 정신도 없는데 마스터나이트 둘을 데려다 이런 습격 흉내까지 시키고 말이야…
드라이는 합리적인 인간이라고 생각했는데
당신한테 하는 걸 보면 실망스럽기 짝이 없군.
하지만 할 일은 해야겠지.

텅

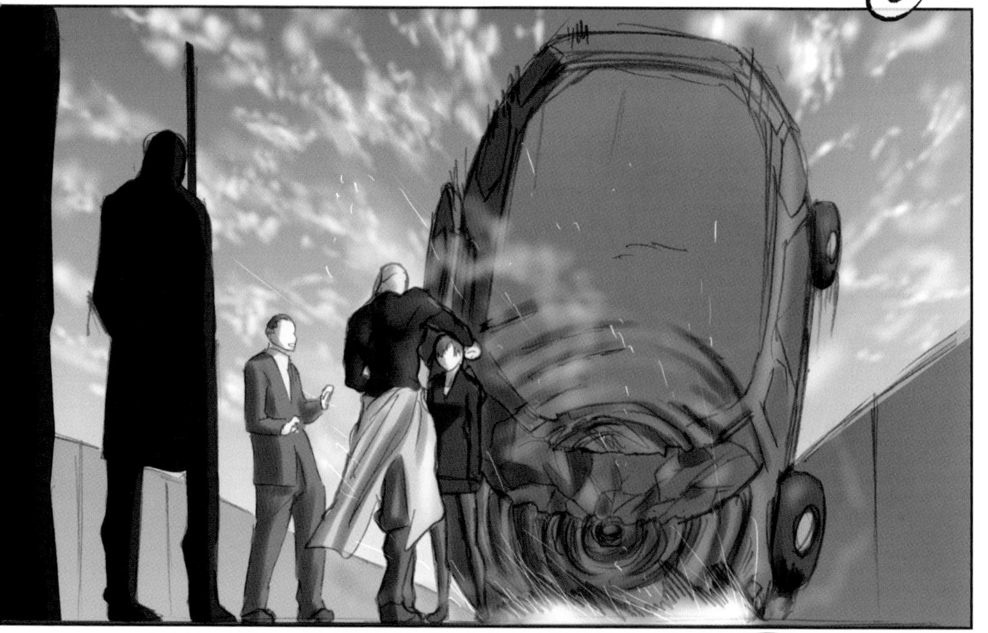

콰지지
얌전히 따라와 주면 좋겠어.
싫다면 억지로라도 끌고 갈 셈이니까.

어이 단.
이러면 우리
왠지 너무
악당 같잖아?
흥.
난 드라이나
버넷처럼 격식
차리는 건
질색입니다.
…

납득할 수
없다면 실력행사로
벗어나 보시지.

이미
앤 마이어 씨는
연합 소속
아린 방위군
대령입니다.
아직 동부기사단에
규합하지 않은
연합세력인 우리 쪽의
반발을 살 텐데
조금
고려해
보시는 건?
일단 차량
청구서.
…!!
저게 이렇게
비싸다고?

나도
드라이에게
말했지만 듣지
않더군.

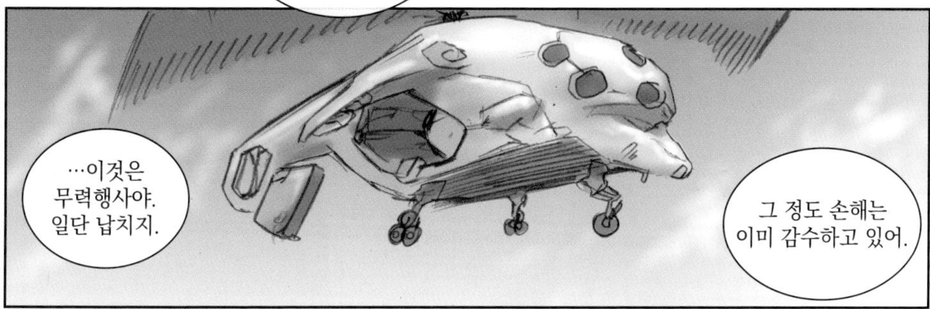

…이것은
무력행사야.
일단 납치지.
그 정도 손해는
이미 감수하고 있어.

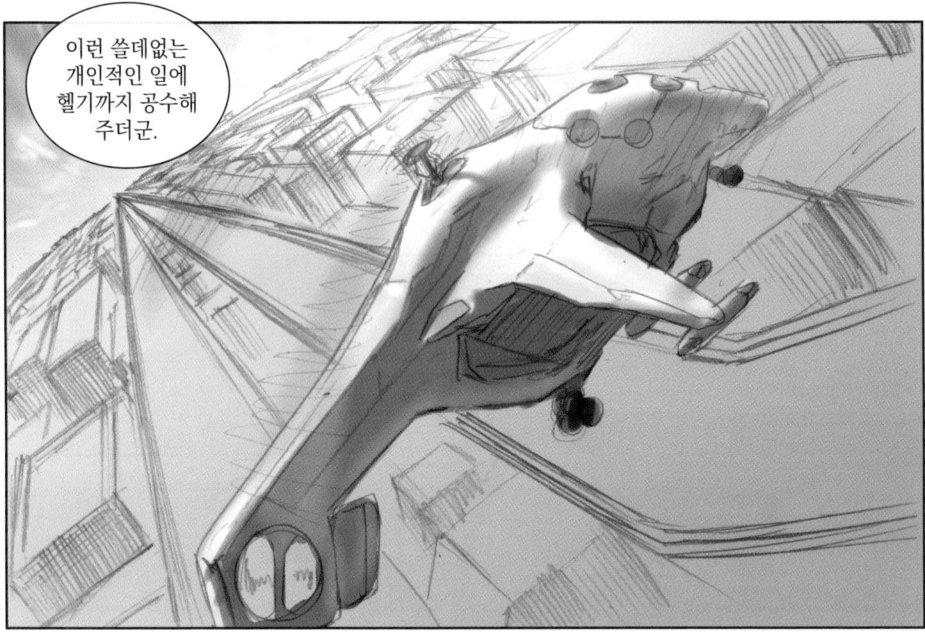
이런 쓸데없는
개인적인 일에
헬기까지 공수해
주더군.

어이 마이어.
덩치 말이 거칠긴 한데
드라이의 의도는 당신을
적대하는 게 아니라
걱정하는 거야.
그리고 난
당신을 상당히
높게 평가하고 있어.
드라이의 원탁과 연합에
도움이 된다고
말이지…

사정은
잘 모르겠지만…
현실적 대안인
우리에게
협력해 줘.

이쪽은 이의 없습니다.

이쪽도 동의하지.

무리는 있지만 방침은 이대로 가기로 하죠.
중앙을 거치지 않고 기사단과 각 연합군은 새로운 임시협정을 따라 움직입니다.
이 원탁회의의 정통성에 대한 비판적 시각이 있기는 하지만 드라이 단장대리에 대한 호의적 여론 덕분에 새 협정이 어느 정도는 힘을 받을 것 같습니다.
아직 망설이는 행성 대표도 이걸로 어느 정도 넘어오겠죠.

그리고 회의 결과 이번 아린전투의 총 책임자는 중앙기사단 마더나이트 대리로서 동부의 드라이 씨가 맡게 되었습니다.

이 2차 어스스트라이크
계획을 위해 만들고 있던
이 기지를 사용하게 될 줄이야.
거기다 마더나이트가 아닌
내가 책임자가 되리라곤
꿈에도 몰랐어.
최악의 상황이야.
안 그래도 어려운 상태에서
중앙까지 당하다니…
기사 보충도 안 되는데
적의 수가 너무 많아.
2만 기라니…
아린의 면적과
자원을 생각하면
말도 안 되는 수야.
연합을 모두 모아야
할 판이야.

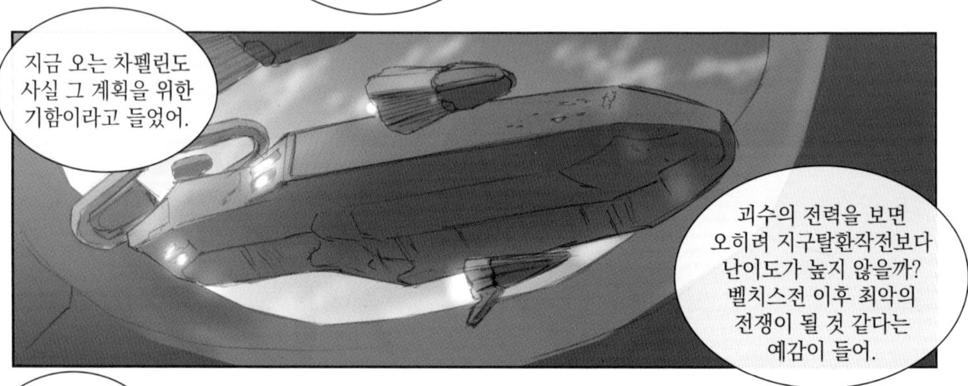
지금 오는 차펠린도
사실 그 계획을 위한
기함이라고 들었어.
괴수의 전력을 보면
오히려 지구탈환작전보다
난이도가 높지 않을까?
벨치스전 이후 최악의
전쟁이 될 것 같다는
예감이 들어.

네 계획이
아니었다면
진행이 제대로
안 됐을 거야.
사전협의 덕에
매끄럽게 흘러갔어.
네 덕이다 다니엘.
관둬. 형은
그런 식으로 공을
나한테 돌리는
버릇이 있어.
진심이라고.
남 위에 서는 건
재능만으로 되는 게
아니잖아.
알고 있어.
난 그런 그릇이
아니라는 걸.
…
할 수는
어때?

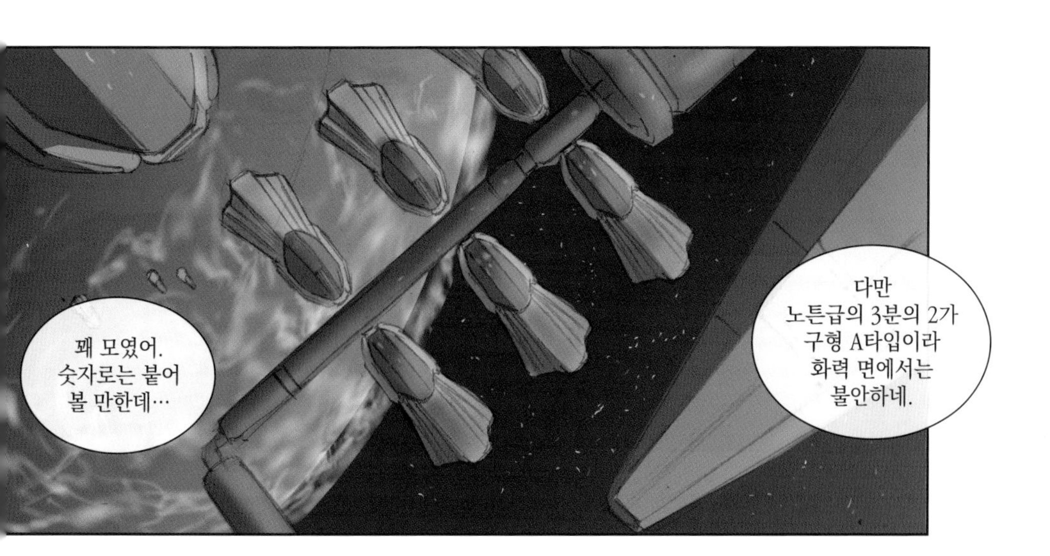
꽤 모였어.
숫자로는 붙어
볼 만한데…
다만
노튼급의 3분의 2가
구형 A타입이라
화력 면에서는
불안하네.

동부의 5검진,
북부의 초능력 꼬맹이들,
챠니스전투의 베테랑
기사들도 모이고 있어.
뚫고 갈 함만
더 모이면 상대할
수 있지 않을까?

난 할 일 다 했고
이제 형은 머리나
잘 굴려 봐.
'그 정보'
아직 극소수만
알고있지?
과연 어떤
전개가 될지
궁금해
죽겠다니까.
어째서
그런 사진이
찍혔을까?
솔직히 중앙기사단이
괴멸했다고 해도 중앙에
아는 사람도 거의 없고
실감이 안 나.
이런
즐길 거리라도
있으니
다행이지.
너…
드라이
단장대리!!!

큰일
났습니다.

part 16. 준비 |끝|

뭐?

part 17

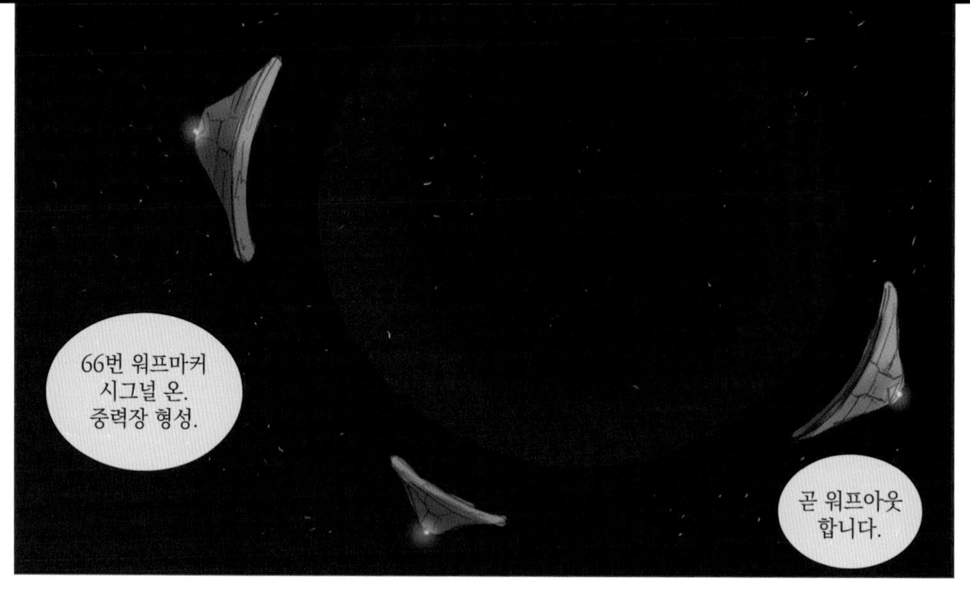
66번 워프마커
시그널 온.
중력장 형성.
곧 워프아웃
합니다.

통보받은 이동은
없었는데…
이 시간에 운영 중인
게이트도 없고…
워프함인가?
코드 확인해 봐.

…이건
중앙기사단의
코드입니다!!
뭐? 아린에
생존자가
있는 건가?

하지만 그곳
게이트는
파괴되었어…
그렇다면 워프함이
살아남은 건가?
사령부에 바로 보고하고
워프아웃 준비해!!

현재 기사단을 포함한 형태의 신연합에 대한 의회의 심의가 진행되고 있는데요…

일부 시민들은 물품을 사재기하거나 타 행성으로 대피하는 등 불안한 움직임을 보이고 있습니다.

하닐시티의 빈민가에서는 10곳 이상의 식료품점이 강도를 당했고 가게들 대부분이 문을 닫았습니다. 재산을 지키려고 총을 들고 옥상에 올라온 사람들의 모습도 심심찮게 보입니다.

소식통에 의하면 발티아 정부는 치안이 위험 수준에 도달해 계엄령까지 고려하고 있다고 하지만, 전문가들은 방위권 내의 행성인 만큼 거주민들의 불안은 상대적으로 적은 편이어서 큰 폭동이나 사상자가 생기지 않는 한 실제 계엄령이 선포되기는 어려울 것이라고 분석하고 있습니다.

반면 중앙기사단의 괴멸이라는 충격적인 소식에도 별다른 동요가 없는 건 단지 전쟁을 거의 겪지 않은 방위권 내 시민 특유의 위기의식 부족 때문이라며 행성 정부 차원의 대규모 피난 준비를 서둘러야 한다는 주장도 있습니다.

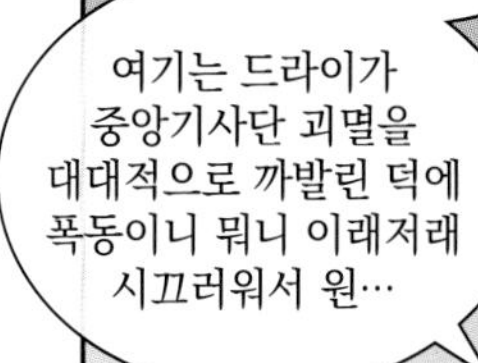

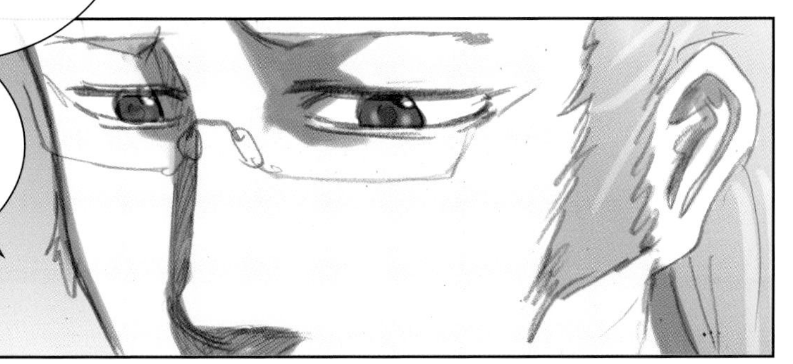

탕
죽어라
영감탱이!
멍청아
그만 쏴!!
이 빌어먹을
놈들!!

헥헥헥

단어로 구분되지 않은
이성체계와 감정을 가진
종과 교류하려면 어떻게
해야 할까요 아버님?
퉁
벌써 두 번째
털이범이야. 주인이
학습능력이 없군.
멍!
390년에 발표된
시밀 박사의 인간과 괴수의
커뮤니케이션에 관한 논문을
한번 읽어 봐. 괴수의 인간에
대한 한정적 공격성에
관한 내용은 빼고…

그 아이
엄마는?
현재 온라인
신고 접수 후
위성을 이용해
부모의 신원을 확인,
추적 중입니다.
…와
폭신폭신…
이러다가는 A-10
너라도 팔아야
다음 연구가
진행될 판이다.
연구비도 안 나오는데
여기서 죽치고 있기도
그렇고 앤이나 한 번 더
구슬려 볼까?

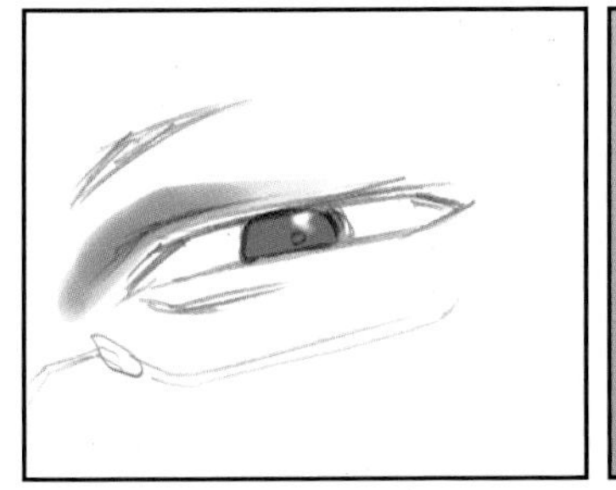

응?

……A-10,
현재 노심 활성치에서
실드의 최대 범위는
어디까지지?
예?

뭐 하고 있어?
가자고.
설마 그거
한번 겹쳤다고
얼어 버린 건가?

…아니…
그게 아니라…

뒤.
응?

다들 뭘
보는 거야?

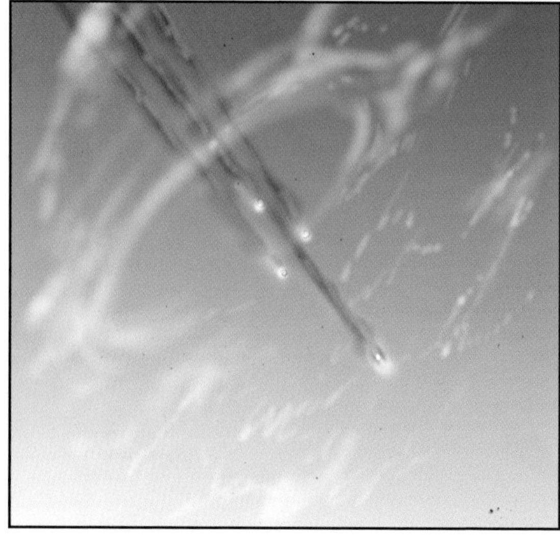

뭐야 저게?

?

저기 좀 봐!

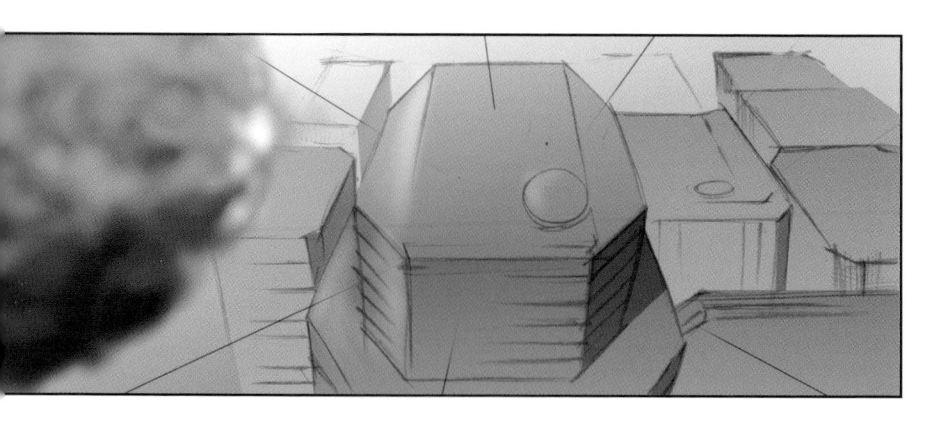

콰직

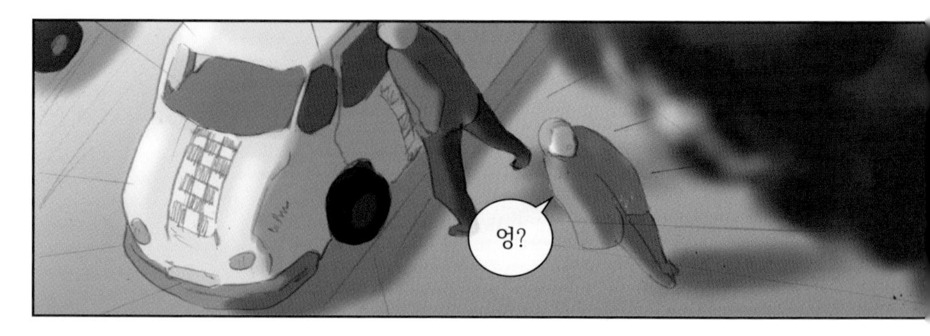
엉?

콰
앙

쿠우우
뭐야?

…뭐가
떨어진 거지?

뒤에…

꺄아아아아!!!
어서 피해!

콰직
쾅

읏!

윽!!

읏챠!

너무
반하지는 마.
……일단
고마워요.
마누라와
손자 눈이 요즘
따갑거든.

그렇게 단언하면
살짝 기분 나쁜데…
그건 그렇고 아가씨
요즘 몸을 안 움직여서
꽤 쪘나 보군.
무거워.
그건 절대
걱정 안 해도
되겠네요.
…

그래 이쪽도
봤어. 다행히
무사하다.
뭐가
떨어진 거야?
뭐?

우주항의
파편?

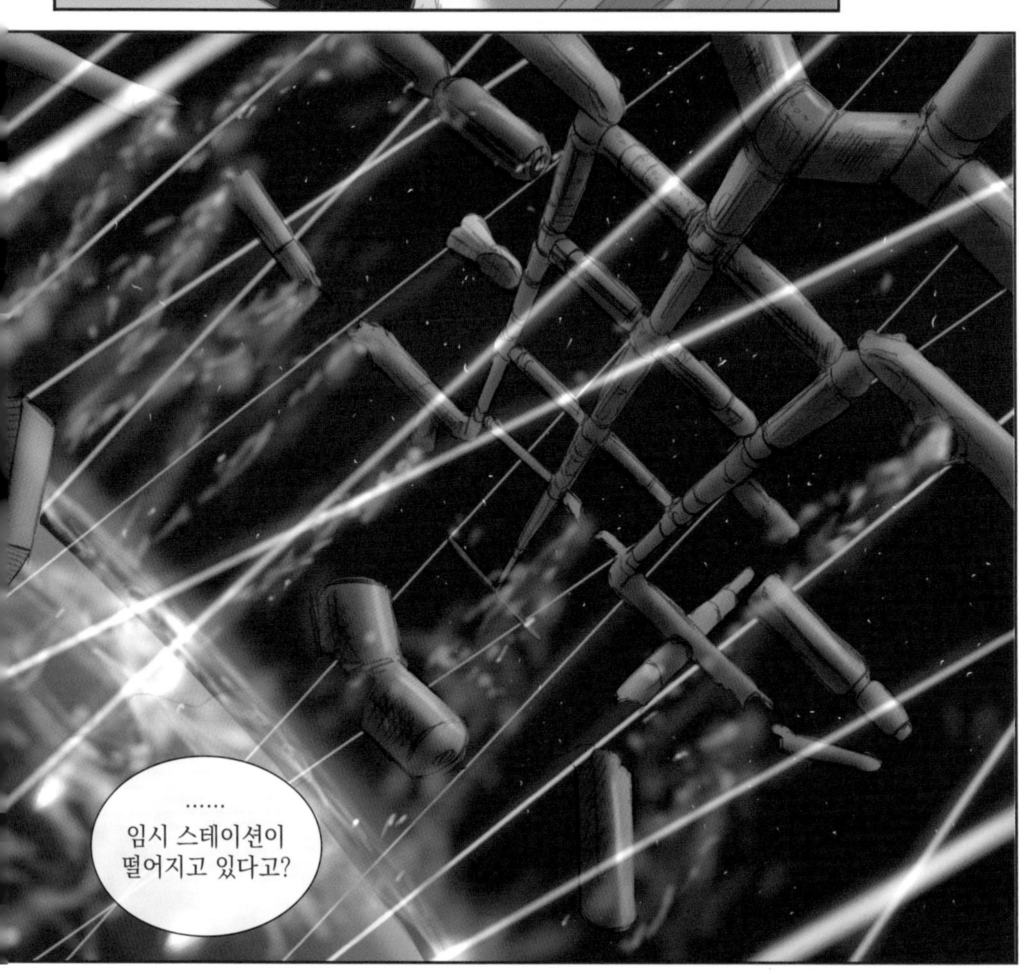
……
임시 스테이션이
떨어지고 있다고?

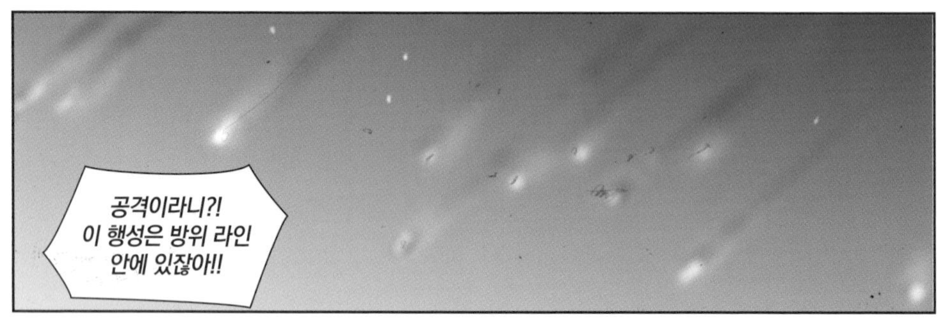
공격이라니?!
이 행성은 방위 라인
안에 있잖아!!

괴수가 우리 측
워프마커에서
나와???!!!!
무슨
바보 같은
소리야?!!!

괴수가 인간의
시설을 이용했다고
말하는 거야 지금?
확인된 정보
맞아?!

괴수?

단기 결전형
하멜타입입니다!!!
못 막습니다!!

임시기지가
군용도 아니고
방어력이 어디
있습니까?!!

이대로는
오리 사냥을
당할 뿐입니다!!
아직 적의 수는
적으니 빨리
움직일 수 있는
함을…

실드 전개도 못 합니다!!
노심 출력도 안 올렸고
승무원도 안 탔습니다!!

임시 정박용
5번 항이 당했습니다!!
전멸입니다!!!!
콰아
방위권 안에 있는 이곳에
기습을 상정한 작전안 따위
있을 리 없잖습니까!!!
지상기지도 위험합니다!

'핀' 2기
돌입 중!!
내열 성능이 미쳤습니다!
무식한 각도로 대기권을
돌입하면서 바로 공격
가능한 초고속 대기권
강습함입니다!!!
뭐? 적이
워프아웃 한지
5분도 안 됐는데…
그렇게 빨리
대비를 할 수는…

콰광

닐슨 기지가
당했습니다!

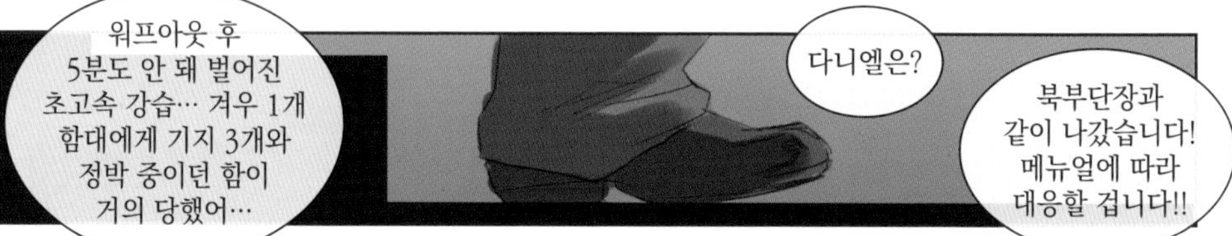
워프아웃 후
5분도 안 돼 벌어진
초고속 강습… 겨우 1개
함대에게 기지 3개와
정박 중이던 함이
거의 당했어…
다니엘은?
북부단장과
같이 나갔습니다!
메뉴얼에 따라
대응할 겁니다!!

말도 안 돼…
인간의 워프마커를
이용하다니… 그것도
중앙기사단의
시스템을 써서…
게다가 변경된
워프마커를 해킹한 후
자신의 코드까지
위장했습니다.
전례 없던 일이
일어나고 있어.
적은 뭘로 왔지?

항모인가?
종류는?
생체 게이트를
벌써 건조했을 리는
없습니다. 지금 정보
들어옵니다.

1km급 항모…
마난급입니다.

으… 침식이 얼마나 됐다고 벌써 그런 게 나와…
이제까지와는 경우가 완전히 달라… 10일 남짓 만에 괴수가 이 정도 체제를 정비하다니…
중앙의 통제시스템을 흡수했다는 분석이 진짜일지도 모르겠어.

타리아 사령관.
드라이… 이곳의 시스템은 아직 40% 정도밖에 완성되지 않았지만 어쩔 수 없이 가동했어.
상관없어요. 일단 이곳은 확실히 안전하니까요. 타행성에도 이 정보와 함께 경보를…

…늦었어.

예?

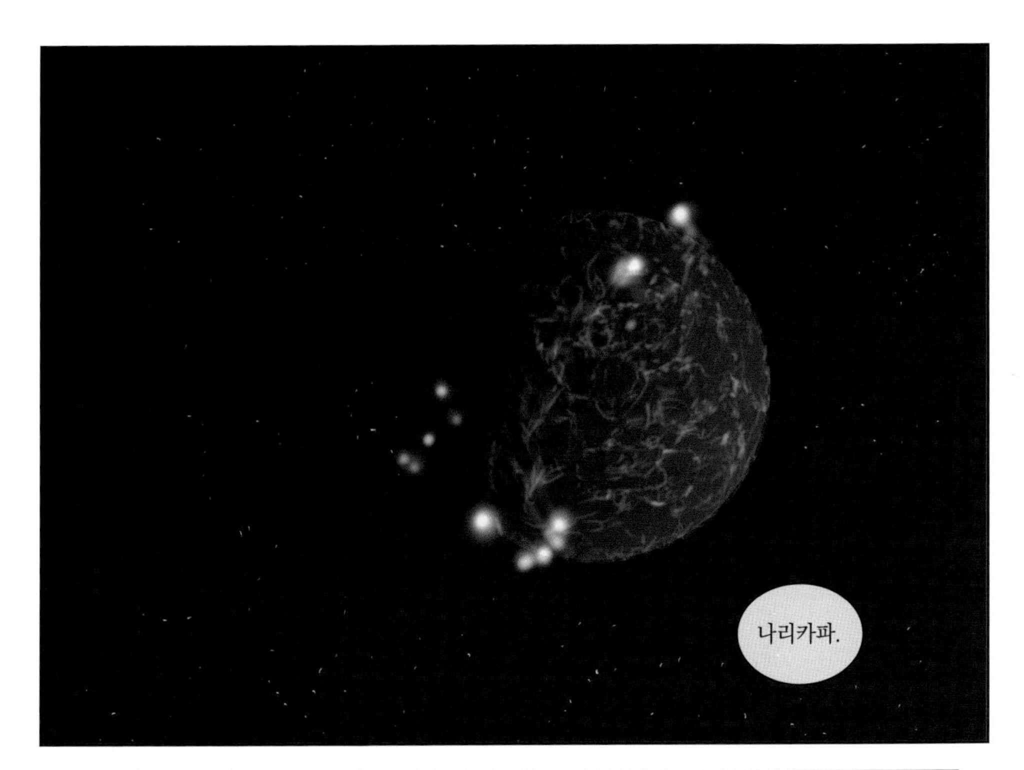
나리카파.

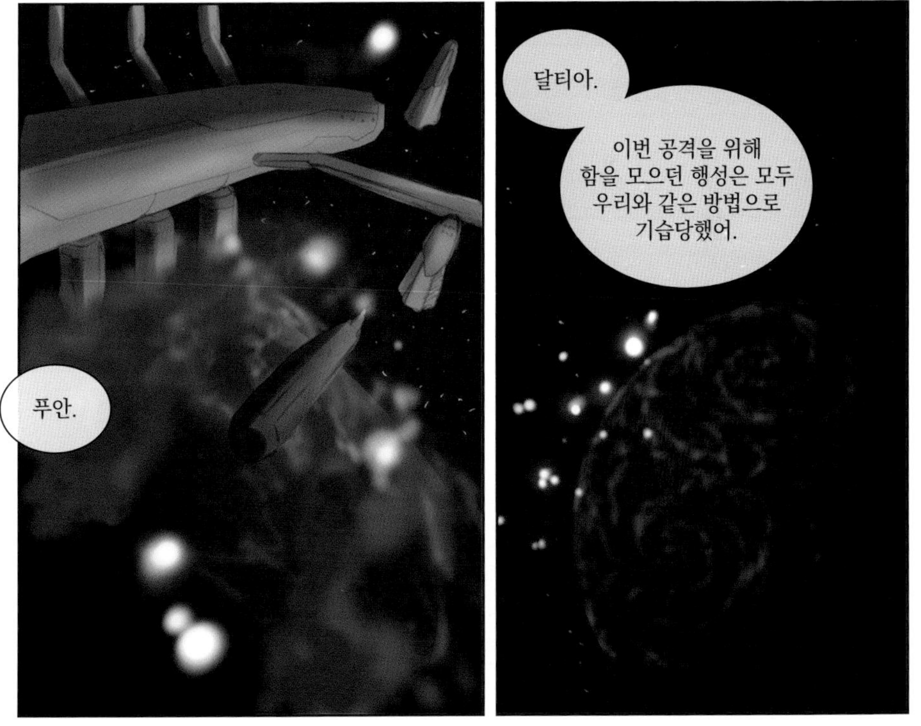
푸안.
달티아.
이번 공격을 위해 함을 모으던 행성은 모두 우리와 같은 방법으로 기습당했어.

과연…
머리를 굴리는군.
공격이 최대의
방어라 이건가.
우리의 계획을
완전히 꿰뚫고
있어…
여왕 드랍은 아니고
소규모 기습이라
막을 수는 있겠지만
지금 준비하고 있는
아린 공략전은…

그런 게
가능할 리가…
녀석들은
중앙기사단의 정보는
물론이고 인간의 기술도
완전히 파악한 후
활용하고 있어.
실제로
일어나고
있잖아.

역시 그 사진…
잘못된 게
아니었다는 건가.
예?
아니
아무것도
아니야.

그웬기지를 중심으로
움직일 수 있는 함을
빨리 모아.
다른 지휘 체제의
연합군이라도 이곳
시스템을 이용하면
통합 처리할 수 있어.
내가 직접 지휘한다.
괜찮겠죠?
타리아 사령관.
그래…
기사단을 믿지.

어스스트라이크용 결전기지
'에덴'시스템 온라인.
체제는 파니아 C타입.
파니아 C타입, 시스템 온라인.
지상에 타워를 올려
적 항모의 자밀기관에
대비한다.

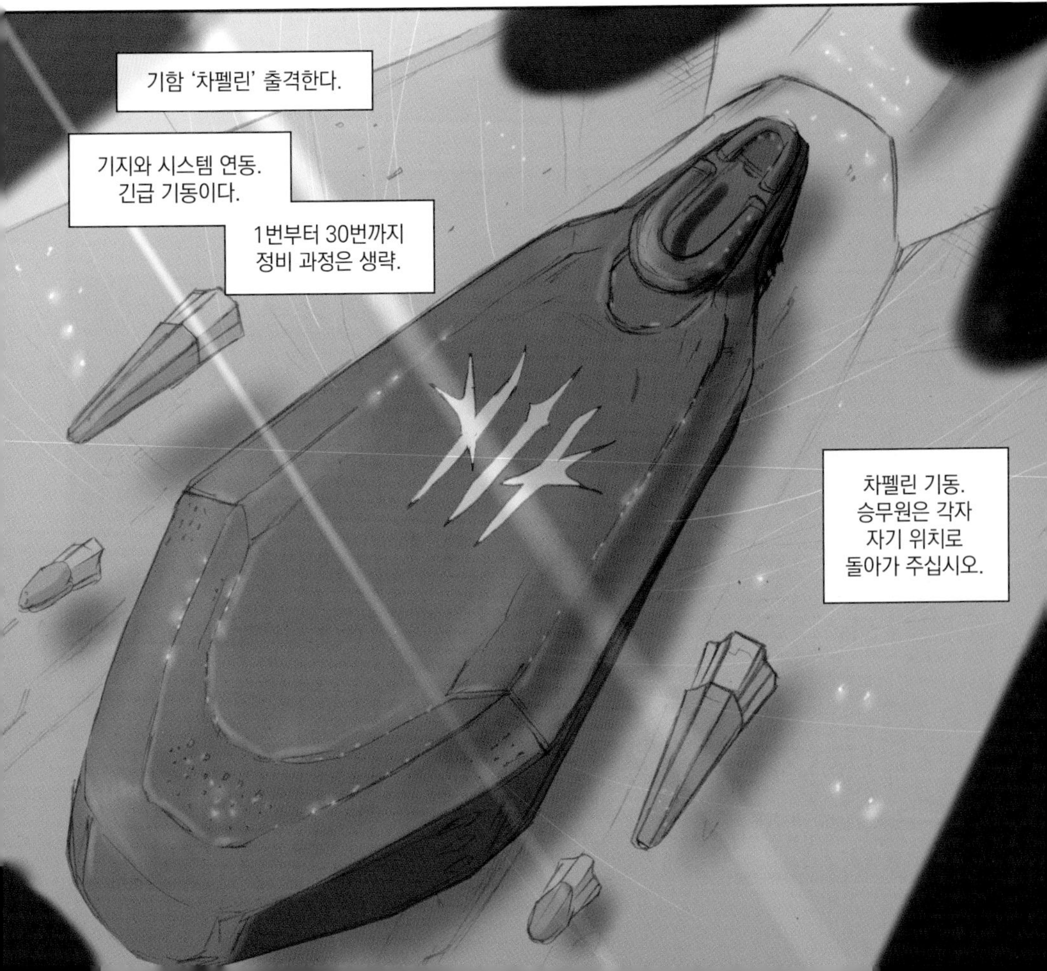
기함 '차펠린' 출격한다.
기지와 시스템 연동.
긴급 기동이다.
1번부터 30번까지
정비 과정은 생략.
차펠린 기동.
승무원은 각자
자기 위치로
돌아가 주십시오.

우와-
영화 같아!!
끝내주는데…
이봐요,
그만 찍고 부상자
옮기는 것 좀
도와요!!

아저씨가 뭔데
나보고 이래라
저래라야!
쿠

쾅
…
어라?

어어…

꺄아아아!
쿵 쿠쿵
쾅

콰
직

웅

괴수…?
파삭

꺄아아아아!!!
도망가!!!

괴수가 보여!! 중형 테디베어 타입. 파편과 함께 내려온 건가?
우리까지 떨어진다!! 거리를 벌려!!!!

이쪽은 통신시설이 있어. 설마 파편에 의한 피해로 위장해 이쪽을 노리고 있는 건가?

…사람들이…

사람들이… 죽어간다……

그리고…

저기 내려오는 것은……

분명 더 많은 죽음을 가져오는 것.

겨우 안정을 되찾기 시작한 430년의 어느 날,

중앙기사단의 괴멸과 함께
지금까지와는 다른 괴수에 의해
인간의 역사가 뒤바뀐 전쟁이 시작된다.

이 괴수의 여왕은 이후 E-34라 명명된다.

적 항모가
대기권까지
내려왔어!!

part 17. 전쟁의 서막 |끝|

part 18

으아아아!!
사…살려줘…

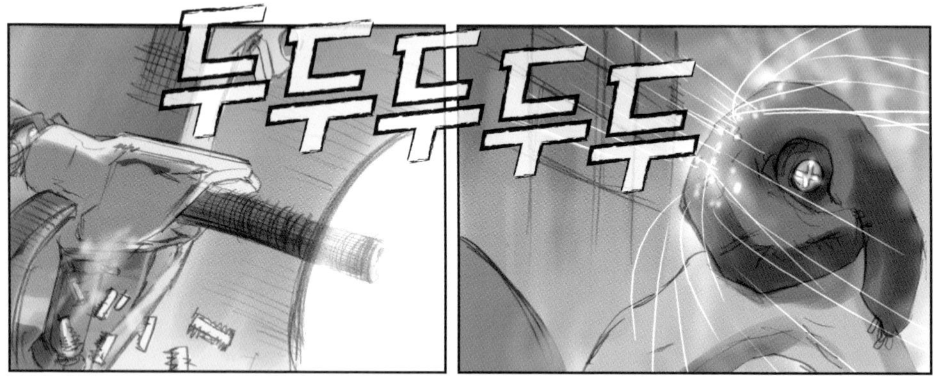
두두두두두

어차피
일반탄으로는
안 먹혀!!
최대한 연막을
만들어서 도망갈 수
있게만 해!!

이제 됐잖아요.
이렇게 낮게 날면
당해요!!
그러던가.
안 말려.
으…

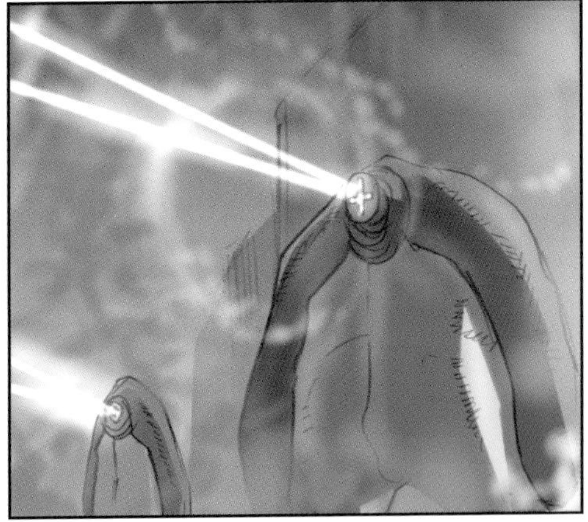

콰
과

피해!!
잘!
어떻게요?!

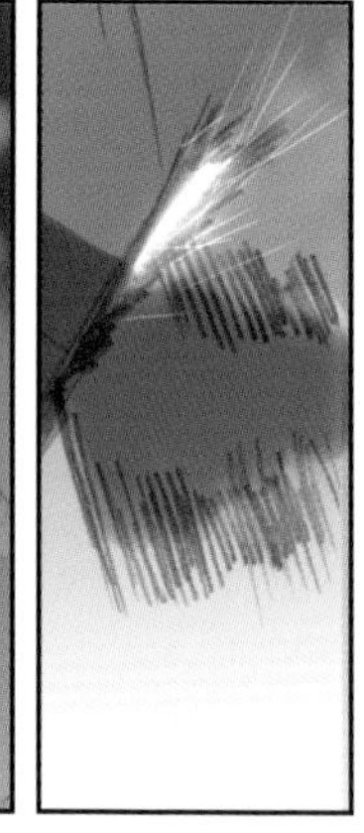

티캉

로터가
다 나갔어!
추락합니다!!
이래서 싫다고
했는데!!

꽉 잡아요!!

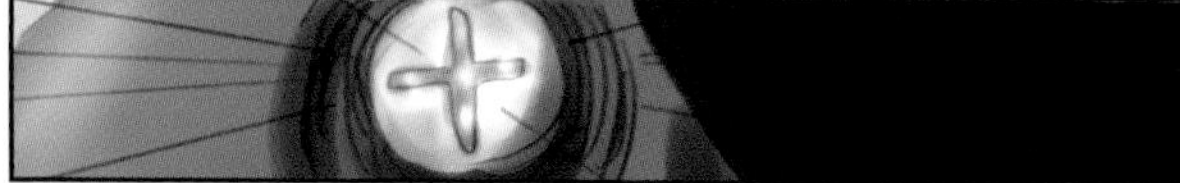

으직

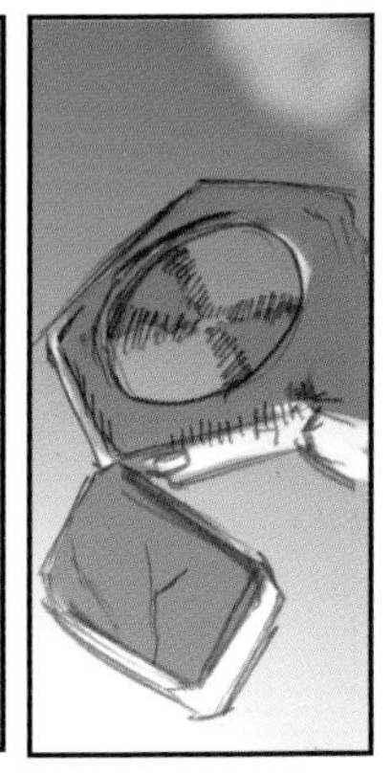

도시로
진입합니다!
하멜급은 계속 격추하고
있지만 수가 많습니다.
마난급도 단시간에
실드를 깨긴 어렵습니다!
클래스가
다릅니다!
이대로는
도시의 피해가…

하멜, 도심부에
2기 추락!

쿠
노심형기는
뭐해?!
으아아아
!!!

다이아-1, 2
아직인가?!
초저공
비행으로
적 근처까지
왔습니다.
상승.

그대로 항모의
추진부를 날려
더 이상 도심으로
못 들어오게 해!!

적 9시 방향은
실드가 많이 깨졌어!
노심전개하면
뚫고 들어갈 수
있을 거야!!
라저!!
방어 병력
하멜 1기,
플로터 20기.

껌이지.
노심기의
하이퀄리티
파이팅을
보여 주지!

이대로 적 항모만
멈추면 훈장감…
Acc

우아아악!!!
차

다이아-1, 2
다운!!!! 비행형
상위괴수입니다!!!
퍼
펑
15형인가?!
불명! 패턴 확인
안 됩니다. 노심반응으로
봐서는 싱글넘버일
가능성도 있습니다!

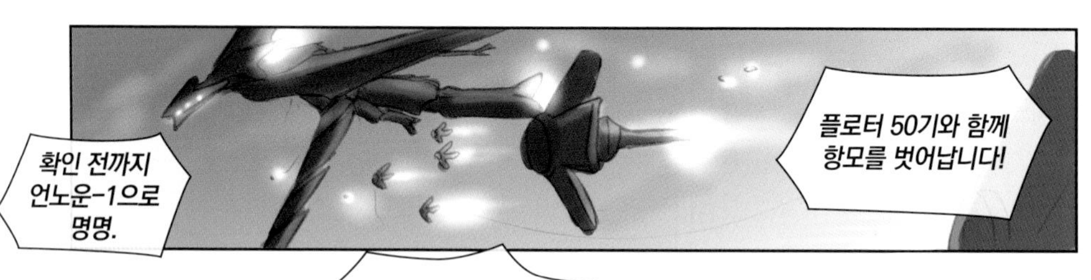
플로터 50기와 함께
항모를 벗어납니다!
확인 전까지
언노운-1으로
명명.

…??!! 항모에서
플로터 다수 사출!!!
흩어지고 있습니다!!!
제길!
각개격파해!!
너무
많습니다!!!

어차피 플로터로
전함을 쓰러트리진 못해.
철저히 도심에서 싸우며
피해를 키울 생각이야.
아무리 기습이
성공했어도 전면전을
할 만한 병력은 아니지.
이곳은 군기지가 아니라
성계의 주요 경제를
지탱하는 수도이니
적은 전면전이 아닌
도시기능 마비를
원하는 것일지도…
그리고 분명
또 다른 노림수가
있어.
괴수의 지능을
과대평가한 거
아냐?
과소평가하는
것보다는 나아.
연결됐습니다.
차이만 소장님, 예.
아까 보낸 포인트에
병력을 보내 주세요.
앤, 이런
독자 행동은 뒷일이
귀찮은데…

우리는 신연합에
가입한 것도 아니고
이 행성엔 그저 보급을
위해 온 거라 군사적
행동은 곤란해.
그러니까
부탁하잖습니까.
그래 들어는
줘야지 누구
말인데.
그래도 불평 정도는
하게 해 줘야 나도
스트레스를 풀지.

군이 다들
급하게 모여서
지휘체계가
엉망이야.

그러니까 난
자네 판단을
믿겠어 앤.

나도
지상병력을
같이…
됐어.

흥, 칼도 없이
뭘 하려고 그래?
방해야.
당신은 일단
우리 손님이니까
거기서 머리나 굴려.

3블록
앞이라고 했지.
거긴 우리가
간다.
당신은 당신이
할 수 있는 일을
하라고.

포인트 도착! 상위괴수는 이쪽 맞습니다!
상위괴수를 잡을 수가 없습니다!
산개한 녀석들 대부분은 진짜 공격 목표를 숨기기 위한 속임수.
요격합니다!
항모가 굳이 여기까지 내려왔어.
거기다 상위괴수가 항모 호위를 하지 않고 따로 움직였다는 건 단순 난전이 목표가 아니라는 거야.
상위괴수는 고출력 기동병기라 잡기는 더럽게 어려워도 자체적인 화력은 함대만 못해.
함 호위나 주력함 사냥이 아니라 굳이 플로터와 산개했다면 목표는 특정 시설일 가능성이 커.
지금 나타난 방향으로 봐서는 분명…
아직 완공되지 않아 공격 능력이 없는 11기의 에덴의 '방어 타워'.
완공되면 최강의 방호력을 가지게 될 지하기지 '에덴'의 침입이 목표다.

그런 시설 정보를
괴수가 알 리가…
안일한 생각은
버려요.
적이
중앙기사단 정보를
이용할 정도라면
에덴을 모를 리가
없습니다.

완성 안 된
타워를 박살 내서
방어 실드 공명력이
떨어진 에덴 입구에
마난급 항모가
들이박던지…
키이이-
그래… 아직
건설 중이라 개방된
방어 타워 연결 통로로
상위괴수가 에덴에
침입하던지…

괴수는 연합
최대 기지인
에덴의 붕괴를
노리고 있어.

정말 우리가 행동을
개시해도 되는 거야?
이 행성 군도 아니고
연합 소속도 아니잖아!!
상관없어!
명령이야 쏴!!!

시작됐나?
예상대로군.

예측대로 이곳을
통과했습니다!!
플로터 저지 성공!!
계속 쏴!!

언노운
상위괴수는
여전히 건제!!
하지만 주력인
플로터는 90%
격추!

기갑부대도
테디베어 조우!!

타워 전력선을
노린다는 예측도
맞았습니다!!
현재 발을
묶어두고
있습니다!!

역시
상위괴수는
못 잡나?
나머지는 당장은
무시해도 돼.
진짜 목표를 숨기려는
연막이다!
지정 포인트만은
어떻게든 지켜!

거기다 아직
항모도 건제…
무리해서라도
에덴 입구를
공략하려는 것 같은데
연합함도 많이 당해서
이대로는 저지 못 해.

앗! 이대로 몸체로
박을 생각이라면
에덴 이전에
도시 피해가…!!

불가시 모드 해제.
상단에 D형 실드 전개.

불가시 모드 해제.
상단에 D형 실드
전개합니다.

어?

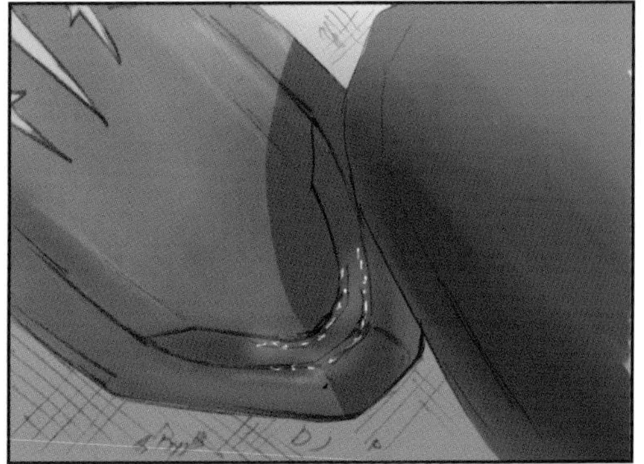

밀어 올려.

치익

차펠린…
완성돼 있었어?
지휘체제 통합 때문에 늦었어. 큰 도움이 되었다 앤.
1-7번 함 상승.

빔 굴절로 인한
도시 피해가
없어야 한다.
관통형
D탄두 발사.

퍼
퍼
퍼
펑
적이 출력을
방어로 전환한다.
이 기회에 고고도까지
밀어 올린다.

쿠우우

상위괴수가 무너진
타워 근처에서 터널을
발견한 듯합니다!
터널로 향합니다!

우리 부대가
막겠습니다!
상위괴수…
현재 이 행성에
기사가 얼마나 있는지
알고는 있는 거야?

으아!!

우리 차례야.
아동보호단체에
고소해 버리자.
그런데
우리는 맨날
3D 업무인 것
같지 않아?

쉬익

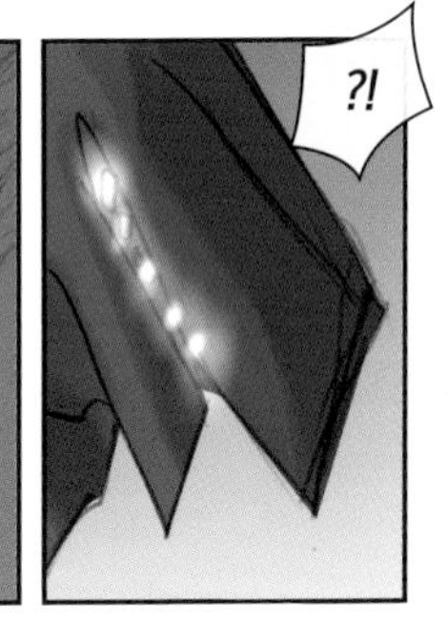
?!

잠깐만 땅에
떨어져 줘.

까 까 까 까 깡

part 18. 기사들 |끝|

part 19

Knight Run

고고도까지
밀어 올렸습니다.

콰
앙

에스코트
고마워요.
다니엘.

많이
성장했네요.
천만의 말씀.
뭐 이제는 당신한테
용돈 받던 꼬맹이는
아니지.
화
륵

마스터피스
9번 검,
천수 千穗

흐드러져라…

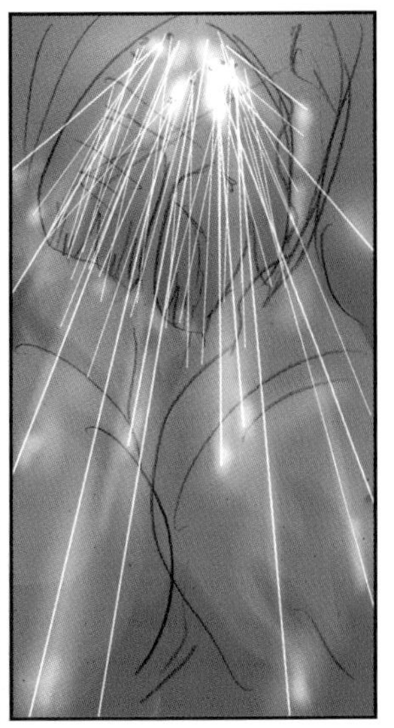

펑

이런 대형종을
상대하는 건
기사로서 지양해야
하는 일이지만…
상황이
상황인 만큼
어쩔 수 없네요.
나도 이런 고고도에서
폭염에 휘말리는 건
사양하고 싶지만
아줌마를 믿으니까.
아줌마라고
부르지 말라 했지
이 새끼야.
갑자기 말투
바꾸지 마.

손님이네요.
아마도 에덴
침투부대겠죠.

5형이겠지 저거?
거기다 77형에
대(對)기사 사양
양산형 1번.
이런 기습에
일반 여왕 호위급
상위괴수를
데려오다니…
확실히 다르군,
이번 여왕.

하지만…
이쪽도
모든 성계에서
대비를 해오고
있었어.

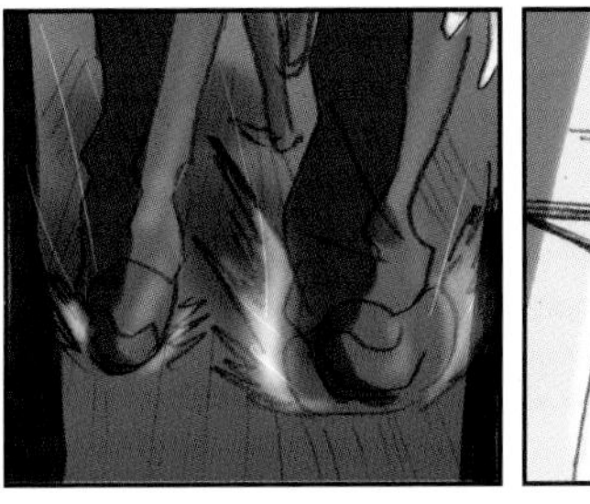

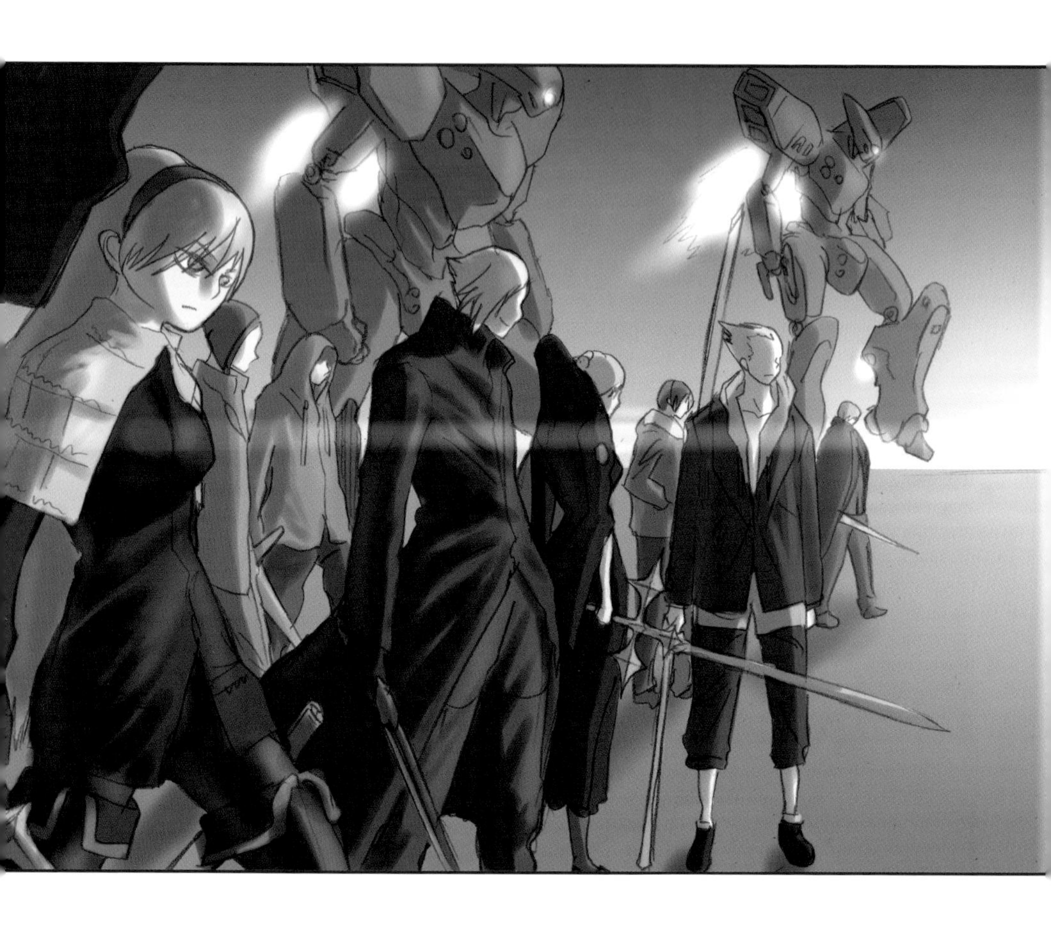

기사단에
영광을.

그리고 괴수에게는
죽음의 칼날을…

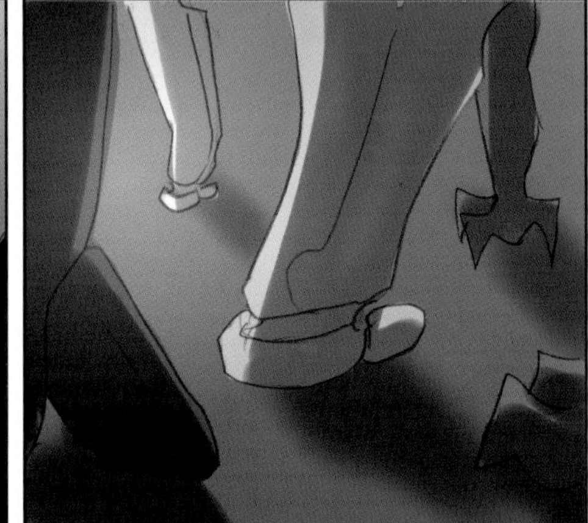

34번 지구
벨라부대
투입 완료.
여기서
저지합니다.

파사의 부대가
협조해 줬습니다.
대령님 덕입니다.
충분히 막을 수 있습니다.
지원병력은 45번으로
가시기 바랍니다.

여기는
커스터널.
라이만항의 하멜은
우리가 저지한다.
협약은 됐어!
앤 부탁이니 그냥 넘어가.
이번만이라도 좋으니
IFF 암호코드를 보내라.

적의 목표가
에덴의 5번 출입구라면
32번 도로 아래의
전력선을 노릴 겁니다.
적 하미아산
능선에 기갑부대를
배치하세요.
마이어 대령님.
라이어 중장이
합류를 망설이고
있습니다.

연결해 줘요.
쓸데없이 신중해서 그러니
적당히 구워삶으면
넘어올 겁니다.

그래…
지상은 앤이…

기습… 뼈아프게
당했지만 더 이상
당할 순 없지.
흩어져 있던
동부와 북부의
베테랑을 다
모았어.
그리고
지금까지 싸우면서
이 정도 피해는
숱하게 겪었어.

인간은
약하지 않아.

이 녀석 강해!!
찬이 당했어!!

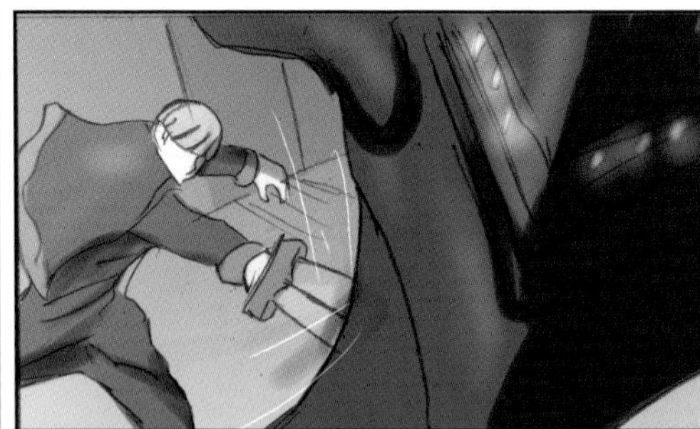

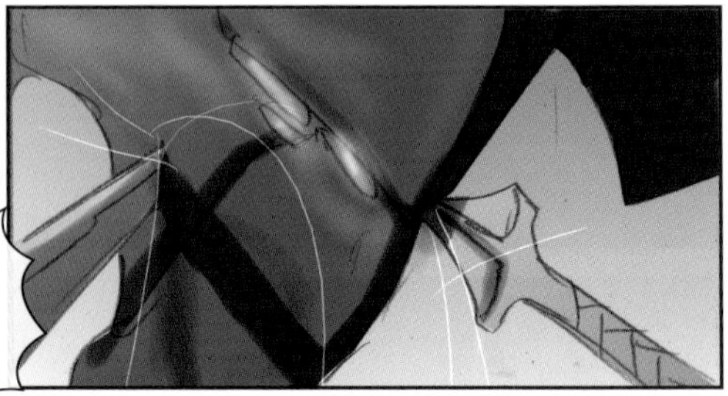
신경 쓰지 마!
동시에 간다!!

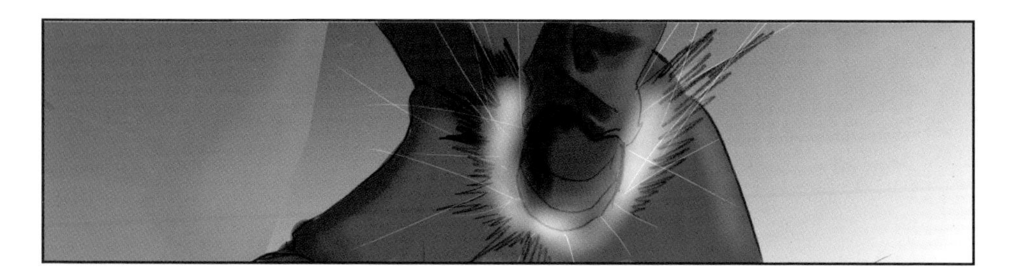

다니엘 단장대리가
지휘기를 잡았어!!
그대로 진형을
무너뜨린다!!!

공중지원은
됐어.
이대로
정리해 나간다.

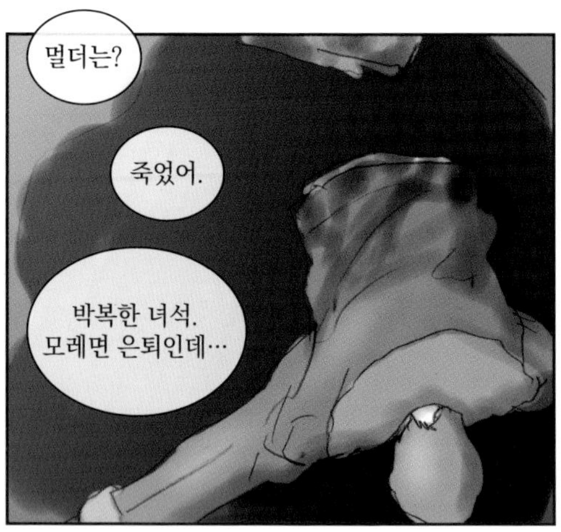
멀더는?
죽었어.
박복한 녀석.
모레면 은퇴인데…

차탄도 죽었어.
찔린 곳이
안 좋았나 봐.

사멸은 하반신이
거의 날아갔지만
살아있는데…
슬프기 전에
조의금 지출이
더 신경 쓰여
요즘은.
너무
매정하군.

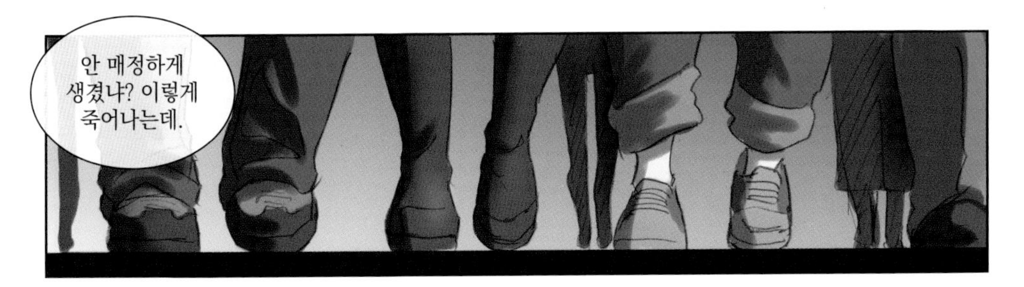
안 매정하게
생겼냐? 이렇게
죽어나는데.

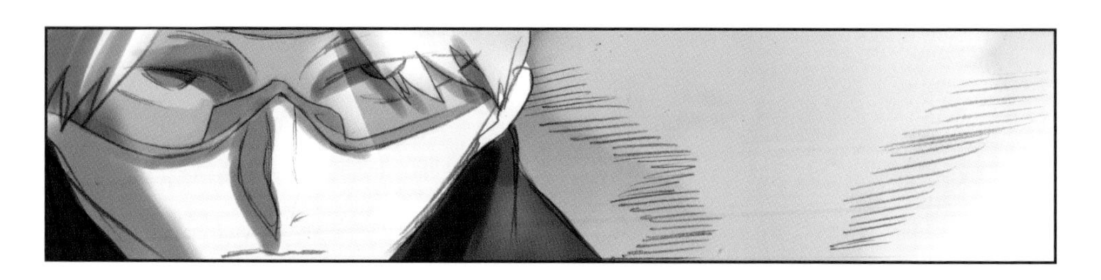

겨우 정리됐군요.
꽤 피해가 컸어. 여왕 랭크가 높은지 타입에 비해 훨씬 강해.
이 정도의 상위괴수를 습격에 쓰다니…
아린의 자원 특성상 노심 생산성이 좋은 건가? 통상적인 방식이 아냐.

항모 코어 회수는
맡기고 돌아가죠.
이 싸움은 시작일
뿐이니까.
시작이라…

적 항모는
엔진부를 당해서인지
출력을 공격으로 전환하지
못하고 이쪽에 밀려 고도만
겨우 유지하고 있습니다.
제압된 것이라
봐도 될 듯합니다.

일단 한숨
돌린 건가?
예. 14함대가
오면 공중분해
시켜 버리죠.
드라이 단장대리의
빠른 판단 덕에
이 정도로 끝났어요.
비행기 태우지 마.
돌아가면 바로
피해를 파악한다.

내부 함재기는
역시 전부 사출된 것
같습니다.
그럼 걱정할 것
없군요. 뒤처리는
맡깁니다.
예. 맡겨
주세요.

뭐야
이 사출구?
아까까지만 해도
없었는데…

뭐?
못 보던
사출구?

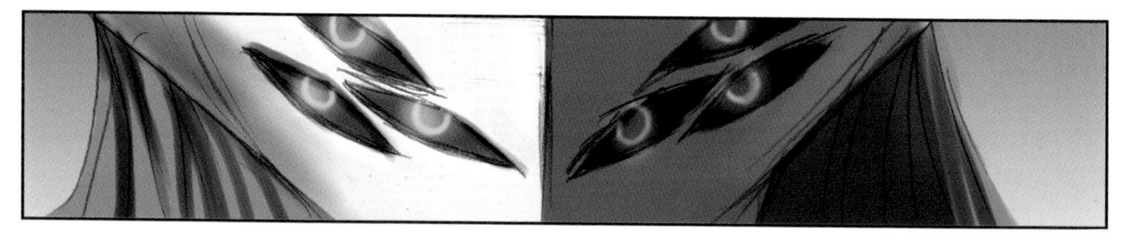

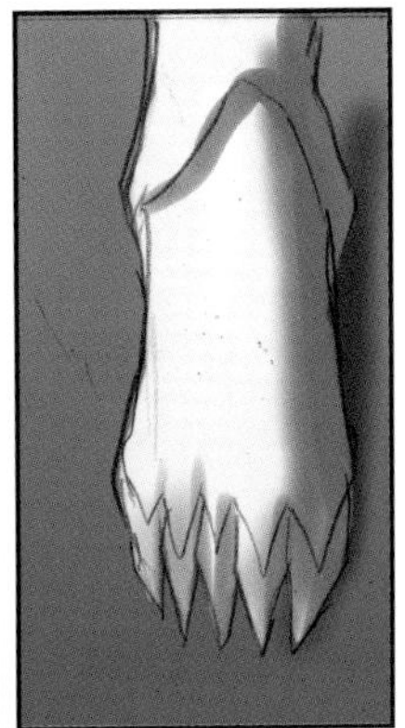

영식(零式).

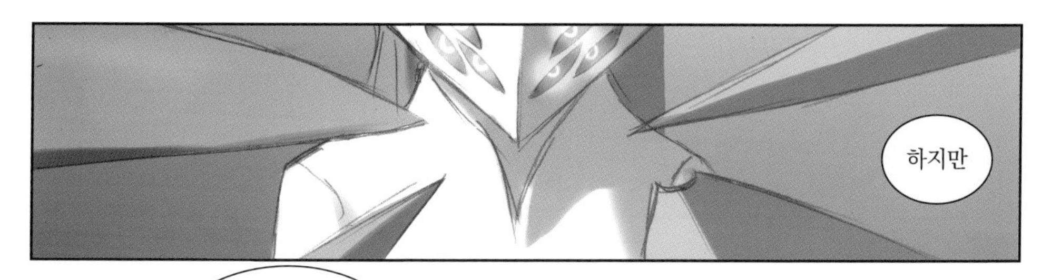
하지만

원거리전도 아니고
이 거리에서 이 숫자의
기사를 상대로
들어오다니…
AB소드가 있는 이상
이런 근거리 백병전이라면
싱글넘버와 큰 차이는
없어.

노심등급
패턴 확인.
영식(零式).
노심등급 C.
긴급통신으로 받은
파란 녀석과는 달라요.
랭크는 그리 높지 않은데…
기사들 한가운데에서
혼자 뭘…

그보다 영식이 있는
여왕도 드문데 식(式)을
2기나 낳았다니
이 짧은 시간에…

AB소드를 가진
대기사전에서
노심등급으로만
전력을 판단하는 건
……

오싹

후퇴해!!!
당장!!!!!!

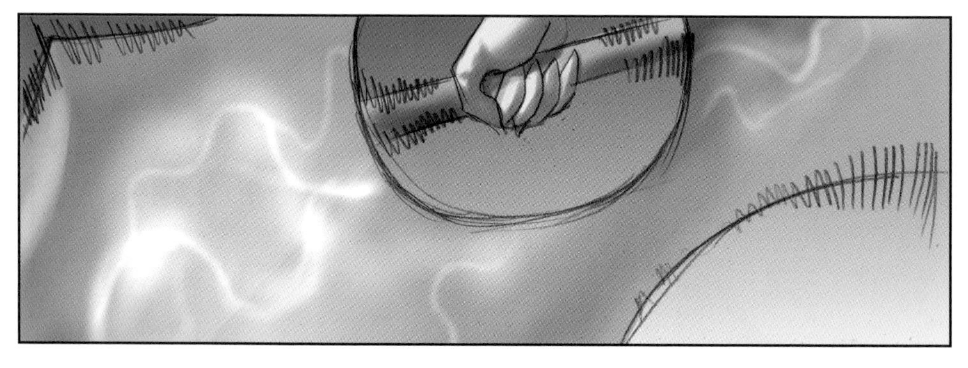

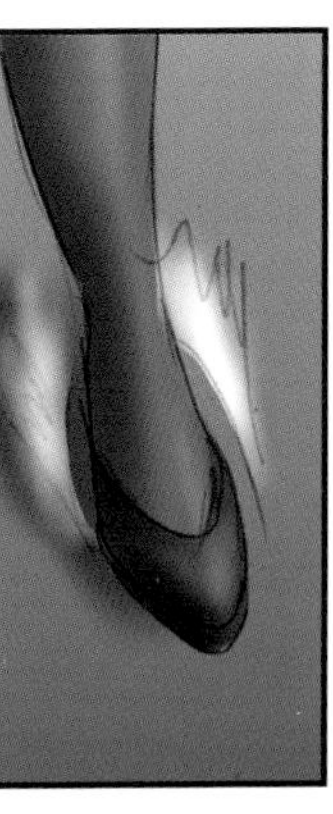

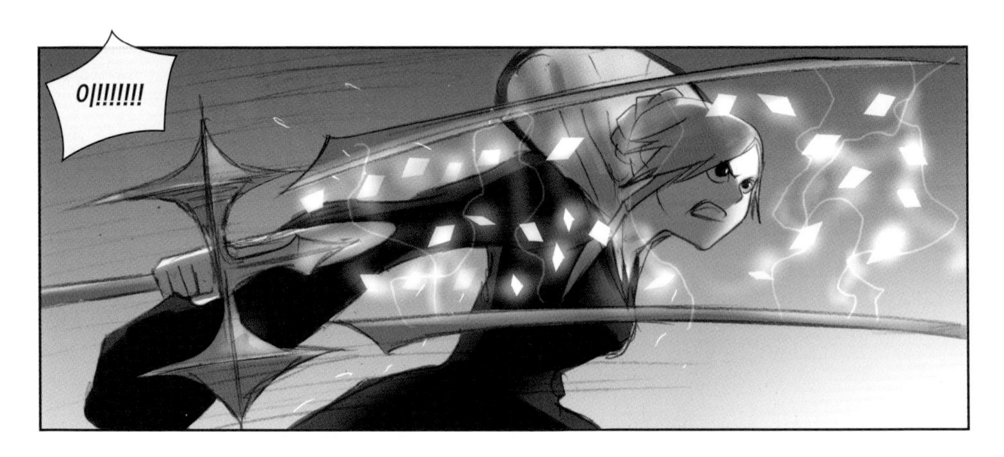
이!!!!!!!

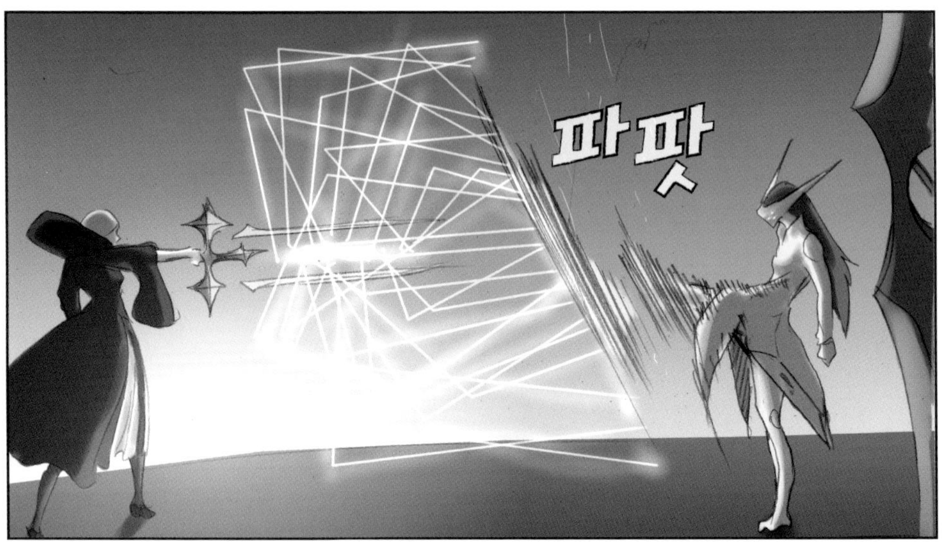
파팟

?!

아…

착

고… 고마워요.
다니엘.
베테랑 기사가
저렇게 쉽게
당하다니…

이상해…
영식이란 게…
보통 이렇게까지
강한 건가?

그리고
저 날개…
…오로라 시스템…
괴수가 그런 기술을
가졌을 리가…

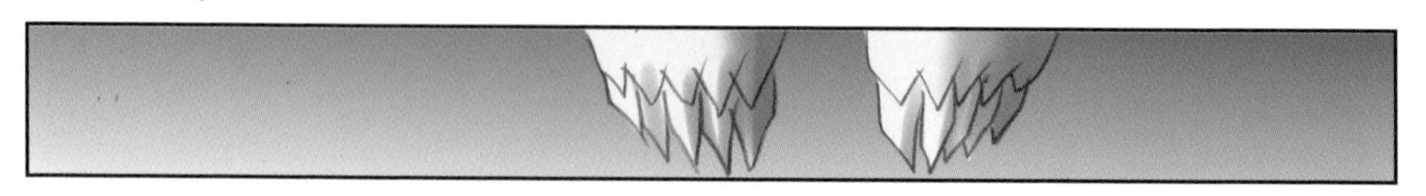
항모 후미
외부 기믹이
작동합니다!!!

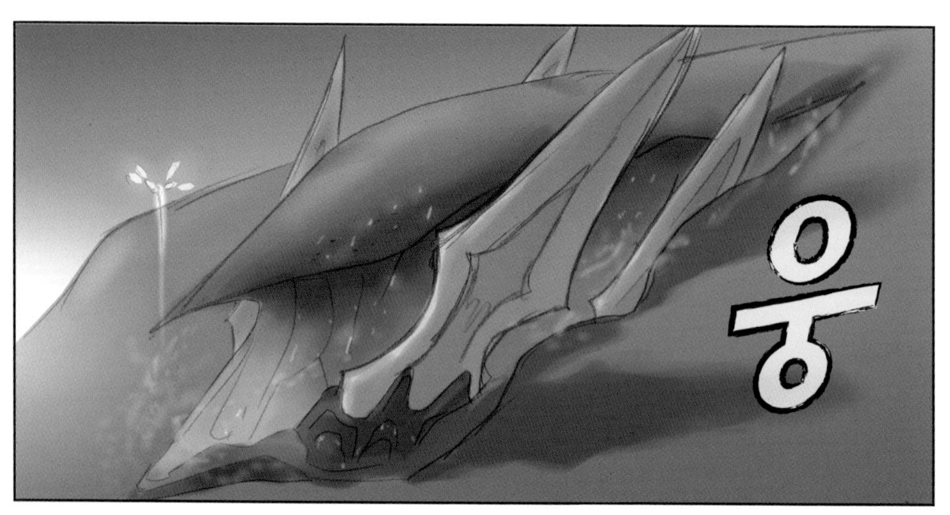
웅

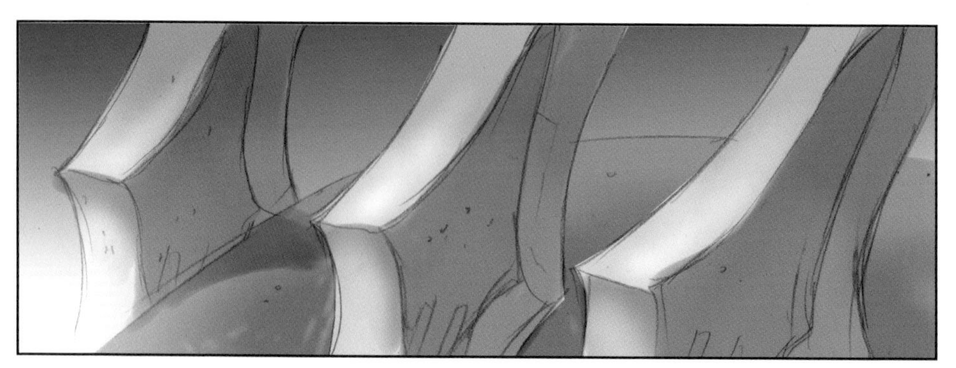

뭐야
저건?
벨치스 때와
비슷해……
설마…
저건

저 질량에 물리력이
느껴지지 않는
기묘한 기동무기.

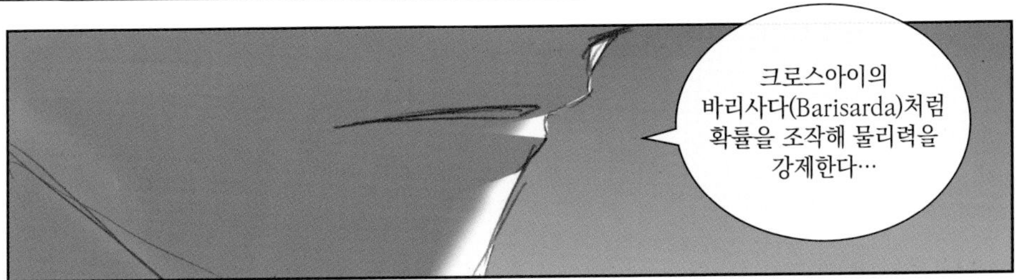
크로스아이의
바리사다(Barisarda)처럼
확률을 조작해 물리력을
강제한다…

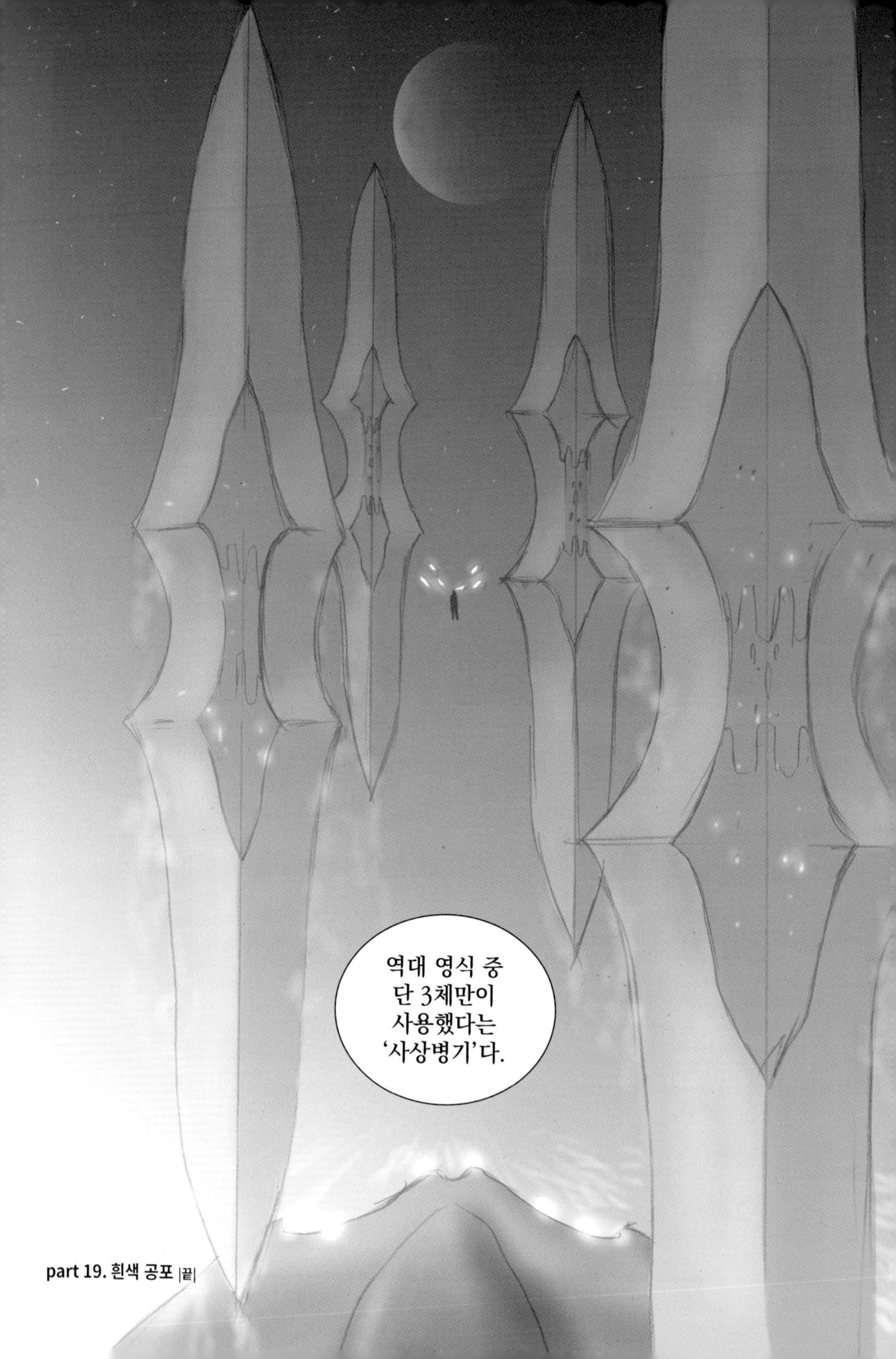
역대 영식 중
단 3체만이
사용했다는
'사상병기'다.
part 19. 흰색 공포 |끝|

3권에 계속

Knight Run

Knight Run